Poesía lírica

Letras Hispánicas

Sor Juana Inés de la Cruz

Poesía lírica

Edición de José Carlos González Boixo

TERCERA EDICIÓN

CATEDRA

LETRAS HISPANICAS

© Ediciones Cátedra, S. A., 1997
Juan Ignacio Luca de Tena, 15. 28027 Madrid
Depósito legal: M. 31.666-1997
ISBN: 84-376-1104-0
Printed in Spain
Impreso en Lavel, S. A.
Pol. Ind. Los Llanos, C/ Gran Canaria, 12
Humanes de Madrid (Madrid)

Introducción

A mis padres

Sor Juana por Juan de Miranda

Sor Juana Inés de la Cruz ocupa, en el campo de la lírica, el lugar más destacado del periodo final del Barroco hispano. El lector encontrará en este libro una selección de su poesía lírica, de la que se ha recogido, cuantitativamente, la mitad de su producción.

Tres partes forman esta introducción. La primera es de carácter biográfico. Hasta fechas relativamente recientes la presión de los estudios inmanentistas, con su aparente carácter científico, obligaba a justificar la presencia de lo biográfico en el análisis literario. Dicha presión no ha decaído del todo, pero a nadie se le oculta hoy que el conocimiento del contexto (época, biografía, corrientes literarias, etc...) es imprescindible para la correcta interpretación de la obra literaria. Además, en el caso de la biografía es totalmente lícito el interés del lector por conocer la personalidad del escritor que le ha cautivado con su obra literaria. No en vano la literatura es, como las demás artes, una manifestación exclusivamente «humana».

En esta primera parte la faceta documental ocupa el lugar preeminente. He citado extensamente la *Respuesta* y la *Carta* de Sor Juana porque en estos textos encontrará el lector muchas claves de la personalidad de su autora y, de modo especial, una viveza narrativa sorprendente. Marginarlos, aun tratándose de una antología poética, significaría prescindir de una información a la que el lector tiene derecho. Otra solución podría haber sido incluirlos íntegros en un apéndice, pero la extensión de la *Respuesta* era un inconveniente y, además, la retórica y erudición de gran parte de la misma permite este desgajamiento sin atentar contra lo esencial del texto.

La segunda parte de esta introducción tiene un carácter informativo. Se presenta al lector el conjunto de la obra literaria de Sor Juana, de modo que pueda apreciar con claridad la entidad de la parte poética seleccionada.

El estudio de las características principales de la poesía de Sor Juana ocupa la tercera y última parte de este estudio introductorio.

I. Los silencios de Sor Juana

La crítica se ha fijado de manera especial en la biografía de SJ[1]. Es natural que exista un gran interés por conocer la personalidad de una figura tan sugestiva, famosa ya en su juventud por sus aptitudes intelectuales. Sin embargo, la escasa documentación supone un grave problema a la hora de trazar su biografía. Aparte de los documentos (véase la recopilación que hace Salazar Mallén) que aclaran las vinculaciones familiares de SJ y el hecho de ser hija ilegítima, apenas si tenemos testimonios fiables para conocer los motivos que la guiaron a tomar las decisiones fundamentales en su vida. Conocemos, eso sí, fechas y circunstancias numerosas de su vida, pero ignoramos lo más importante, su vida interior. ¿Qué importancia tuvo en su vida el saberse hija ilegítima?; ¿por qué abandonó la corte para recluirse en un convento?; ¿por qué, según ella misma señala, esa «total negación que tenía al matrimonio»?; su poesía amorosa, tan aparentemente intensa, ¿es un reflejo de su vida amorosa en la corte?; no toda la sociedad de su época aplaudió su brillantez intelectual y SJ tuvo enemigos declarados, ¿hasta qué punto fue dura su lucha interior ante esta situación?; ¿cuál fue la causa de su repentina «conversión» y el abandono de la actividad intelectual en sus últimos años? Muchas de estas preguntas han de quedar sin una respuesta segura. De ahí que los críticos se hayan visto

---

[1] A partir de ahora utilizaré las siglas SJ en vez del nombre completo de la poetisa. En cuanto a las citas, si no se recogen a pie de página, su referencia completa se encontrará en el apartado de «Bibliografía».

en la necesidad de aventurar hipótesis, en muchos casos divergentes entre sí. Críticos de orientación cristiana, como Calleja —su primer biógrafo—, Ricard, Chávez, Méndez Plancarte o Herrera ven a SJ como una persona que logró mantener un equilibrio anímico (aun cuando su fuerte personalidad necesariamente tuvo que chocar con las convenciones de la época). Por el contrario, para Pfandl, desde una perspectiva psicoanalítica, se trata de una personalidad neurótica, y Salazar Mallén piensa que su vida estuvo marcada por el signo del sufrimiento.

En la actualidad sigue siendo difícil responder a los interrogantes planteados. Reflexiones historicistas y culturales como las de Benassy-Berling y Paz han ayudado mucho a la comprensión de su personalidad, pero seguimos careciendo de testimonios que ratifiquen o anulen muchas de las hipótesis planteadas. Sabemos, por ejemplo, que la correspondencia de SJ con intelectuales de su época fue muy numerosa, pero hasta la fecha permanece oculta, o bien ha desaparecido, tal vez, para siempre. Tradicionalmente, dos han sido los textos fundamentales para establecer esa biografía anímica de SJ: su *Respuesta* y la biografía que de ella hizo su amigo, el padre Calleja. Ambas son limitadas, ya que la *Respuesta* se escribe como defensa en unas circunstancias muy concretas y es un texto que SJ sabe que se va a hacer público, y la de Calleja, aun siendo objetiva, es el homenaje de un amigo que no tiene por qué hacer referencia a temas conflictivos. A estos dos testimonios hay que añadir el reciente descubrimiento de una *Carta* que SJ dirige a su confesor, el padre Núñez, interesante no sólo porque aclara uno de los episodios confusos de su biografía, sino porque evidencia —en un texto privado— el fuerte carácter de SJ, oculto por la retórica de sus textos públicos. Son, en definitiva, tres textos fundamentales que los lectores de SJ no pueden pasar por alto. Es una lástima que no conozcamos otros textos privados de SJ. Su *Respuesta* deja entrever conflictos anímicos, pero ella prefirió guardar silencio. Por eso he titulado esta parte «los silencios de Sor Juana»: su autobiografía oculta muchas facetas de su personalidad; aquellas que, por las circunstancias de su época, ella sabía que no podía revelar. Probablemente esos secretos —sus silencios— tampoco podrán ser desvelados por nosotros.

Nepantla, 1648

La información facilitada por el padre Diego Calleja[2] fue, hasta mitad de nuestro siglo, el único dato para conocer la fecha de nacimiento de la poetisa. Así relata Calleja el acontecimiento:

> A doce leguas de la ciudad de México, Metrópoli de la Nueva España, están casi contiguos dos montes que, no obstante lo diverso de sus calidades en estar siempre cubierto de sucesivas nieves el uno y manar el otro perenne fuego[3], no se hacen mala vecindad entre sí, antes conservan en paz sus extremos y en un temple benigno, la poca distancia que los divide. Tiene su asiento a la falda de estos dos montes una bien capaz Alquería, muy conocida con el título de *San Miguel de Nepantla* que confinante a los excesos de calores y fríos, a fuer de primavera, hubo de ser patria de esta maravilla. Aquí nació la Madre Juana Inés el año de mil seiscientos cincuenta y uno, el día doce de noviembre, viernes, a las once de la noche (pág. 139).

Sin embargo, tal fecha ha sido cuestionada a partir del descubrimiento por parte de G. Ramírez España y A. G. Salceda de un acta de bautismo en la que se señala:

> En 2 de diciembre de 648 bauticé a Inés, hija de la Iglesia. Fueron sus padrinos Miguel Ramírez y Beatriz Ramírez Fr. P.º de Monasterio[4].

---

[2] La «biografía» de Diego Calleja apareció como «Aprobación» en los preliminares al tercer tomo de las obras de SJ, titulado *Fama* (Madrid, 1700). Las citas en el texto se corresponden con la edición de Maza.

[3] Se refiere al Iztaccíhuatl y al Popocatépetl, volcán hoy inactivo.

[4] Cfr. Alberto G. Salceda, «El acta de bautismo de sor Juana», *Ábside,* enero-marzo, 1952.

La mayoría de los críticos ha aceptado la validez de esta acta bautismal, que retrotrae a finales de 1648 la fecha de nacimiento de SJ[5].

Los datos familiares de SJ se conocen hoy con bastante exactitud, sobre todo después de la investigación de Cervantes en 1949. Sin embargo, todavía Pfandl, al publicar su libro en 1946 tenía noticias imprecisas, haciéndose eco de la expresa mención de Calleja al carácter legítimo de SJ (Calleja habla del matrimonio de Pedro de Asbaje e Isabel Ramírez, «de cuya legítima unión tuvieron, entre otros hijos, a nuestra poetisa única» [pág. 140]). Hoy sabemos que los padres de SJ nunca se casaron; que de esa unión nacieron SJ y otras dos hermanas, y que la madre de SJ tendría otros tres hijos de sus relaciones con Diego Ruiz Lozano, con quien tampoco se casó. Ignoramos por qué no contrajo matrimonio la madre de SJ, siendo criolla; conducta que ha escandalizado a algunos críticos, pero que puede explicarse por una «laxitud de la moral sexual» en la colonia, tal como señala Paz (págs. 98-107).

No tenemos datos para saber cómo influyó en SJ el saberse «hija ilegítima» (de la consciencia de esa situación no hay duda), pero es evidente que trató de ocultarlo. El hecho de que Calleja lo ignore es significativo, y la propia SJ en su testamento de 1669 indica que es «hija legítima de don Pedro de Asbaje y Vargas, difunto, y de doña Isabel Ramírez» (Salazar Mallén, pág. 21)[6].

---

[5] Así, por ejemplo, aceptan la fecha de 1648 Méndez Plancarte (I, páginas LII-LIII) que fue informado por los descubridores del acta bautismal cuando finalizaba su primer tomo de las *O. C.* de SJ; Maza (pág. 139), Puccini (pág. 10), Paz (págs. 96-97) y Alatorre (pág. 597). Paz señala que «en aquella época no se inscribían en las actas los nombres de los padres de los hijos naturales» (pág. 96), y la ilegitimidad de SJ queda reflejada por la fórmula habitual de «hijo de la Iglesia». Los padrinos que figuran en el acta son hermanos de la madre de SJ y la partida de bautismo se encontró en Chimalhuacán, parroquia a la que pertenecía Nepantla. Sin embargo, Sabat de Rivers (1982, págs. 10-12) considera insuficientes las pruebas que aporta esta partida bautismal. Señala que SJ no utiliza el nombre de «Inés» hasta su entrada en el convento, por lo que dicha partida de bautismo podría pertenecer a otra persona (una hermana o una esclava).

[6] También su madre lo ocultó en un documento en que dona una esclava a SJ (1669) (Salazar Mallén, pág. 21), pero en el testamento que hace en 1687

Los primeros años de SJ transcurrieron en un lugar cercano al de su nacimiento, Panoayán, donde su abuelo poseía una hacienda. Cuando tenía ocho o diez años fue enviada a México, a casa de unos parientes (Paz aventura la fecha de 1656). Aproximadamente viviría en casa de los Mata unos ocho años y, en torno a 1664, cuando SJ tiene dieciséis años, se inicia su etapa en la corte como dama de la virreina. Esta etapa llega hasta el año 1669 en que ingresa en el convento de San Jerónimo (habría que excluir el periodo de tres meses que pasó en el convento de las carmelitas descalzas, en 1667).

Desde muy niña demostró unas aptitudes intelectuales fuera de lo común. Tal como anota Calleja:

> Volaba la fama de habilidad tan nunca vista en tan pocos años, y al paso que crecía la edad, se aumentaba en ella la discreción con los cuidados de su estudio y su buen parecer con los de la naturaleza sola (pág. 142).

De estos primeros años SJ dejó un testimonio inapreciable en su *Respuesta a Sor Filotea de la Cruz*[7], que merece ser recordado:

---

señala que todos sus hijos son «naturales»: «he tenido por mis hijos naturales a Doña Josefa María y a Doña María de Asbaje y a la madre Juana de la Cruz...» (Salazar Mallén, pág. 16).

[7] El origen de la *Respuesta* es el siguiente: el obispo de Puebla, Manuel Fernández de Santa Cruz, amigo de SJ, le escribe la denominada *Carta de Sor Filotea de la Cruz*, anunciándole que «he visto la carta de V. md. en que impugna las finezas de Cristo que discurrió el Reverendo Padre Antonio de Vieira en el Sermón del Mandato... Para que V. md. se vea en este papel de mejor letra, le he impreso» (ed. G. Sabat y E. Rivers de SJ, pág. 764). Se refiere el obispo a la que imprimió con el título de *Carta athenagórica* a fines de noviembre de 1690, y que apareció en el volumen segundo de las obras de SJ con el título de *Crisis sobre un Sermón* (págs. 1-34). El resto de la misiva del obispo es una reconvención a SJ para que se aplique al estudio de las letras divinas en vez de a las humanas. La *Carta* está fechada el 25 de noviembre de 1690. (La utilización del pseudónimo la explica Pfandl: «Su antecesor don Juan de Palafox y

Prosiguiendo en la narración de mi inclinación, de que os quiero dar entera noticia, digo que no había cumplido los tres años de mi edad cuando, enviando mi madre a una hermana mía, mayor que yo, a que se enseñase a leer en una de las que llaman amigas[8], me llevó a mí tras ella el cariño y la travesura; y viendo que le daban lección, me encendí yo de manera en el deseo de saber leer, que engañando, a mi parecer, a la maestra, le dije que mi madre ordenaba me diese lección. Ella no lo creyó, porque no era creíble; pero, por complacer al donaire, me la dio. Proseguí yo en ir y ella prosiguió en enseñarme, ya no de burlas, porque la desengañó la experiencia; y supe leer en tan breve tiempo, que ya sabía cuando lo supo mi madre, a quien la maestra lo ocultó por darle el gusto por entero y recibir el galardón por junto; y yo lo callé, creyendo que me azotarían por haberlo hecho sin orden. Aún vive la que me enseñó (Dios la guarde), y puede testificarlo.

Acuérdome que en estos tiempos, siendo mi golosina la que es ordinaria en aquella edad, me abstenía de comer queso, porque oí decir que hacía rudos, y podía conmigo más el deseo de saber que el de comer, siendo éste tan poderoso en los niños. Teniendo yo después como seis o siete años, y sabiendo ya leer y escribir, con todas las otras habilidades de labores y costuras que deprenden las mujeres, oí decir que había universidad y escuelas en que se estudiaban las ciencias, en Méjico; y apenas lo oí cuando empecé a matar a mi madre con instantes e importunos ruegos sobre que, mudándome el traje, me enviase a Méjico, a casa de unos deudos que tenía, para estudiar y cursar la Universidad; ella no lo quiso hacer, e hizo muy bien; pero yo despiqué el deseo en leer muchos libros varios que tenía mi abuelo, sin que bastasen castigos ni represiones a estorbarlo; de manera que cuando vine a Méjico, se admiraban, no tanto del ingenio, cuanto de la memoria

Mendoza había publicado en 1659 una *Peregrinación de Philotea al santo templo y monte de la Cruz* y en este libro, que él mismo llamó *la imitación de una Philotea francesa,* las cartas edificantes de Francisco de Sales han servido de modelo» [pág. 82].)

SJ respondió al obispo con una carta fechada el 1 de marzo de 1691 y, siguiendo el juego del pseudónimo, la tituló *Respuesta de la poetisa a la muy ilustre Sor Filotea de la Cruz.* Se imprimió en la *Fama,* págs. 8-60. Las citas de la *Respuesta* se corresponden con la edición modernizada de A. G. Salceda, t. IV de las *O. C.* de Sor Juana, págs. 440-475.

[8] *amigas:* escuelas para niñas.

y noticias que tenía en edad que parecía que apenas había tenido tiempo para aprender a hablar.

Empecé a deprender gramática[9], en que creo no llegaron a veinte las lecciones que tomé; y era tan intenso mi cuidado, que siendo así que en las mujeres —y más en tan florida juventud— es tan apreciable el adorno natural del cabello, yo me cortaba de él cuatro o seis dedos, midiendo hasta dónde llegaba antes e imponiéndome ley de que si cuando volviese a crecer hasta allí no sabía tal o tal cosa que me había propuesto deprender en tanto que crecía, me lo había de volver a cortar en pena de la rudeza. Sucedía así que él crecía y yo no sabía lo propuesto, porque el pelo crecía aprisa y yo aprendía despacio, y con efecto lo cortaba en pena de la rudeza, que no me parecía razón que estuviese vestida de cabellos cabeza que estaba tan desnuda de noticias, que era más apetecible adorno.

Nada más nos dice SJ de esta etapa de su juventud, ya que a continuación se refiere a su entrada en el convento. De su relación con los marqueses de Mancera, virreyes, conservamos poemas de circunstancias que evidencian el trato de amistad. Calleja insiste en el cariño y casi veneración que los virreyes le tenían («La señora Virreina no parece que podía vivir un instante sin su Juana Inés, y ella no perdía por eso el tiempo a su estudio. Porque antes era proseguirle, hablar con la señora Virreina», pág. 142) y señala también su belleza y discreción, así como, una vez más, su sorprendente sabiduría. Sobre este último aspecto merece recordarse la siguiente anécdota que relata:

El señor Marqués de Mancera, que hoy vive y viva muchos años, que frase es de favorecido, me contó varias veces que estando con no vulgar admiración (era de su Exca.) de ver en Juana Inés tanta variedad de noticias, las escolásticas tan al parecer puntuales, y bien fundadas las demás, quiso desengañarse de una vez y saber si era sabiduría tan admirable, o infusa, o adquirida, o artificio, o no natural y juntó un día en su

_____

[9] *gramática*: latín. «Solas veinte lecciones de la lengua latina, testifica el bachiller Martín de Olivas que la dio, y la supo con eminencia», certifica Calleja (pág. 142).

16

palacio cuantos hombres profesaban letras en la Universidad y ciudad de México. El número de todos llegaría a cuarenta y en las profesiones eran varios, como teólogos, escriturarios, filósofos, matemáticos, historiadores, poetas, humanistas y no pocos de los que, por alusivo gracejo, llamamos *tertulios,* que sin haber cursado por destino las facultades, con su mayor ingenio y alguna aplicación, suelen hacer, no en vano, muy buen juicio de todo. No desdeñaron la niñez (tenía entonces Juana Inés no más de diez y siete años) de la no combatiente, sino examinada, tan señalados hombres, que eran discretos: ni aun esquivaron descorteses la científica lid por mujer, que eran españoles. Concurrieron, pues, el día señalado al certamen de tan curiosa admiración, y atestigua el señor Marqués que no cabe en humano juicio creer lo que vio, pues dice que *a la manera que un galeón real* (traslado las palabras de su Exca.) *se defendería de pocas chalupas, que le embistieran, así se desembarazaba Juana Inés de las preguntas, argumentos y réplicas, que tantos, cada uno en su clase, la propusieron. ¿Qué estudio, qué entendimiento, qué discurso y qué memoria sería menester para esto?* (pág. 143).

Ante la ausencia de otros datos, los biógrafos de SJ han puesto alas a su imaginación y han recreado novelescamente el paso de la poetisa por la corte, suponiendo, por ejemplo, la existencia de amores que luego reflejaría en su poesía, algo que carece de base documental y que olvida el carácter «tópico» de la poesía en los siglos XVI y XVII[10].

El claustro

La escasa y, más aún, ambigua información que SJ proporciona en la *Respuesta* sobre su decisión de hacerse religiosa ha dado pie a numerosas especulaciones. Desde nuestra perspectiva actual, entendemos que alguien que decide ingresar de por vida en un convento de clausura lo hace movido por una vocación religiosa. Sin embargo, en el siglo XVII no era imprescindible tener esa «vocación»

---

[10] La amplia biografía de Paz, aun incidiendo en hipótesis imposibles de probar, es, sin duda, muy sugerente.

(tal como nosotros la concebimos hoy) para adoptar esa decisión[11].

Que SJ no sentía vocación religiosa es algo evidente y no es necesario más que leer su testimonio en la *Respuesta*. Sin embargo, no es preciso buscar complejas motivaciones psicológicas y sociales para comprender su determinación: la vida en un convento era una solución frecuentemente adoptada por las jóvenes en un siglo, el XVII, en el que la religión se infiltra en las actividades más cotidianas. Pero antes de aludir a algunos detalles de la vida religiosa de SJ, veamos cómo explica ella misma la decisión de hacerse religiosa:

> Entréme religiosa, porque aunque conocía que tenía el estado cosas (de las accesorias hablo, no de las formales) muchas repugnantes a mi genio, con todo, para la total negación que tenía al matrimonio, era lo menos desproporcionado y lo más decente que podía elegir en materia de la seguridad que deseaba de mi salvación; a cuyo primer respeto (como al fin más importante) cedieron y sujetaron la cerviz todas las impertinencillas de mi genio, que eran de querer vivir sola; de no querer tener ocupación obligatoria que embarazase la libertad de mi estudio, ni rumor de comunidad que impidiese el sosegado silencio de mis libros. Esto me hizo vacilar algo en la determinación, hasta que alumbrándome personas doctas de que era tentación, la vencí con el favor divino y tomé el estado que tan indignamente tengo. Pensé yo que huía de mí misma, pero, ¡miserable de mí!, trájeme a mí conmigo y traje mi mayor enemigo en esta inclinación, que no sé determinar si por prenda o castigo me dio el Cielo, pues de apagarse o embarazarse con tanto ejercicio que la religión tiene, reventaba como pólvora, y se verificaba en mí el *privatio est causa appetitus*.

---

[11] Términos como «convento» o «celda» pueden significar algo totalmente distinto en el siglo XVII o en el XX: recordemos que la «celda» de SJ estaba formada por aposentos que ocupaban dos pisos. Las monjas, en el siglo XVII, podían tener varias criadas o esclavas viviendo con ellas (SJ tuvo durante algunos años una esclava); costumbres como la de «devotos de monjas» hoy serían incomprensibles. Una revisión superficial de éste o cualquier otro tema puede ser, sin embargo, muy perjudicial ya que se tiende a caer en tópicos que deforman la realidad. Sobre el tema de los conventos véase el libro de Josefina Muriel, *Conventos de monjas de la Nueva España* (México, 1946).

Volví (mal dije, pues nunca cesé): proseguí, digo, a la estudiosa tarea (que para mí era descanso en todos los ratos que sobraban a mi obligación) de leer y más leer, de estudiar y más estudiar, sin más maestro que los mismos libros. Ya se ve cuán duro es estudiar en aquellos caracteres sin alma, careciendo de la voz viva y explicación del maestro; pues todo este trabajo sufría yo muy gustosa por amor de las letras. ¡Oh, si hubiese sido por amor de Dios, que era lo acertado, cuánto hubiera merecido! Bien que yo procuraba elevarlo cuanto podía y dirigirlo a su servicio, porque al fin a que aspiraba era a estudiar teología, pareciéndome menguada inhabilidad, siendo católica, no saber todo lo que en esta vida se puede alcanzar, por medios naturales, de los divinos misterios; y que siendo monja y no seglar debía, por el estado eclesiástico, profesar letras; y más siendo hija de un San Jerónimo y de una Santa Paula, que era degenerar de tan doctos padres ser idiota la hija. Esto me proponía yo de mí misma y me parecía razón; si no es que era (y eso es lo más cierto) lisonjear y aplaudir a mi propia inclinación, proponiéndole como obligatorio su propio gusto.

Con esto proseguí, dirigiendo siempre, como he dicho, los pasos de mi estudio a la cumbre de la sagrada teología; pareciéndome preciso, para llegar a ella, subir por los escalones de las ciencias y artes humanas; porque ¿cómo entenderá el estilo de la Reina de las Ciencias quien aún no sabe el de las ancilas? ¿Cómo sin lógica sabría yo los métodos generales y particulares con que está escrita la Sagrada Escritura? ¿Cómo sin retórica entendería sus figuras, tropos y locuciones? ¿Cómo sin física, tantas cuestiones naturales de las naturalezas de los animales de los sacrificios, donde se simbolizan tantas cosas ya declaradas y otras muchas que hay?[12].

Queda patente por las palabras de SJ que su verdadera vocación era la de los libros, una dedicación intelectual que se evidencia a lo largo de toda la *Respuesta*. La decisión de tomar los hábitos debió de adoptarla después de un largo periodo de reflexión, dado su carácter racionalista. Decidida a dedicar su vida al estudio, debió pensar que el matrimonio no era el camino más adecuado; quedarse solte-

_____

12 Continúa SJ sus interrogaciones retóricas aludiendo a sus estudios sobre música, aritmética, geometría, arquitectura, historia, derecho y astrología.

ra, sin medios económicos, tampoco era buena solución, sólo posible si permanecía en la corte como dama de honor, lo cual también era inviable porque los virreyes eran sustituidos al cabo de muy pocos años. Al final, sólo le quedaba entrar en un convento, lugar en el que a pesar de tener que cumplir con los numerosos y diarios actos comunitarios aún le quedaba tiempo para el estudio. Incluso, como señala Paz, se podría considerar que su estancia en la corte fue el *escalón* que le permitió entrar en el convento: «no era fácil ingresar en un convento y si Juana Inés no hubiese pasado esos años en el palacio virreinal, tal vez no habría encontrado un padrino que pagase la dote» (página 154)[13].

La *Respuesta* es un manifiesto donde SJ defiende su derecho como mujer al estudio, frente a las «persecuciones» en que por este motivo se vio envuelta. Los siguientes fragmentos de la *Respuesta* son representativos de este planteamiento y, al mismo tiempo, permiten observar que su vida conventual transcurrió de manera «normal», lejos de las hipótesis «frustrantes» que algunos críticos han imaginado:

> El escribir nunca ha sido dictamen propio, sino fuerza ajena; que les pudiera decir con verdad: *Vos me coegistis*. Lo que sí es verdad que no negaré (lo uno porque es notorio a todos, y lo otro porque, aunque sea contra mí, me ha hecho Dios la merced de darme grandísimo amor a la verdad) es que desde que me rayó la primera luz de la razón, fue tan vehemente y poderosa la inclinación a las letras, que ni ajenas represiones —que he tenido muchas— ni propias reflejas —que he hecho no pocas— han bastado a que deje de seguir este natural impulso que Dios puso en mí: Su Majestad sabe por qué y para qué; y sabe que le he pedido que apague la luz de mi entendimiento, dejando sólo lo que baste para guardar su Ley, pues lo demás sobra, según algunos, en una mujer; y aun hay

---

[13] Un rico caballero, Pedro Velázquez de la Cadena, pagó la dote, que suponía una suma considerable de dinero. Hasta fechas muy recientes se ha supuesto que en el asunto intervino de manera decisiva el padre Núñez de Miranda, padre espiritual de SJ, pero el descubrimiento en 1980 de una *carta* de SJ a Núñez, modifica este planteamiento. Un poco más adelante me referiré a esa carta.

quien diga que daña. Sabe también Su Majestad que no consiguiendo esto, he intentado sepultar con mi nombre mi entendimiento, y sacrificárselo sólo a quien me lo dio; y que no por otro motivo me entré en religión, no obstante que al desembarazo y quietud que pedía mi estudiosa intención y eran repugnantes los ejercicios y compañía de una comunidad; y después, en ella sabe el Señor, y lo sabe en el mundo quien sólo lo debió saber, lo que intenté en orden a esconder mi nombre, y que no me lo permitió, diciendo que era tentación; y sí sería.

(...)

Lo que sí pudiera ser descargo mío es el sumo trabajo no sólo en carecer de maestro, sino de condiscípulos con quienes conferir y ejercitar lo estudiado, teniendo sólo por maestro un libro mudo, por condiscípulo un tintero insensible; y en vez de explicación y ejercicio, muchos estorbos, no sólo los de mis religiosas obligaciones (que éstas ya se sabe cuán útil y provechosamente gastan el tiempo), sino de aquellas cosas accesorias de una comunidad: como estar yo leyendo y antojárseles en la celda vecina tocar y cantar; estar yo estudiando y pelear dos criadas y venirme a constituir juez de su pendencia; estar yo escribiendo y venir una amiga a visitarme, haciéndome muy mala obra con muy buena voluntad, donde es preciso no sólo admitir el embarazo, pero quedar agradecida del perjuicio. Y esto es continuamente, porque como los ratos que destino a mi estudio son los que sobran de lo regular de la comunidad, esos mismos les sobran a las otras para venirme a estorbar; y sólo saben cuánta verdad es ésta los que tienen experiencia de vida común, donde sólo la fuerza de la vocación puede hacer que mi natural esté gustoso, y el mucho amor que hay entre mí y mis amadas hermanas, que como el amor es unión, no hay para él extremos distantes.

(...)

Solía sucederme que, como entre otros beneficios, debo a Dios un natural tan blando y tan afable y las religiosas me aman mucho por él (sin reparar, como buenas, en mis faltas) y con esto gustan mucho de mi compañía; conociendo esto, y movida del grande amor que les tengo, con mayor motivo que ellas a mí, gusto más de la suya; así, me solía ir los ratos que a unas y a otras nos sobraban a consolarlas y recrearme con su conversación. Reparé que en este tiempo hacía falta a mi estudio, y hacía voto de no entrar en celda alguna si no me obligase a ello la obediencia o la caridad, porque sin este freno tan duro, al de sólo propósito le rompiera el amor; y este voto (conociendo mi fragilidad) lo hacía por un mes o por quince días; y dando, cuando se cumplía, un día o dos de treguas, lo volvía a renovar, sirviendo este día no tanto a mi descanso (pues nunca lo ha sido para mí el no estudiar) cuanto a que no me tuviesen por áspera, retirada e ingrata al no merecido cariño de mis carísimas hermanas.

Bien se deja en esto conocer cuál es la fuerza de mi inclinación. Bendito sea Dios, que quiso fuese hacia las letras y no hacia otro vicio que fuera en mí casi insuperable; y bien se infiere también cuán contra la corriente han navegado (o, por mejor decir, han naufragado) mis pobres estudios. Pues aún falta por referir lo más arduo de las dificultades, que las de hasta aquí sólo han sido estorbos obligatorios y casuales, que indirectamente lo son, y faltan los positivos, que directamente han tirado a estorbar y prohibir el ejercicio. ¿Quién no creerá, viendo tan generales aplausos, que he navegado viento en popa y mar en leche sobre las palmas de las aclamaciones comunes? Pues Dios sabe que no ha sido muy así, porque entre las flores de esas mismas aclamaciones se han levantado y despertado tales áspides de emulaciones y persecuciones cuantas no podré contar, y los que más nocivos y sensibles para mí han sido no son aquellos que con declarado odio y malevolencia me han perseguido, sino los que amándome y deseando mi bien (y por ventura mereciendo mucho con Dios por la buena intención) me han mortificado y atormentado más que los otros con aquel: *No conviene a la santa ignorancia que deben, este estudio; se ha de perder, se ha de desvanecer en tanta altura con su misma perspicacia y agudeza.* ¿Qué me habrá costado resistir esto? ¡Rara especie de martirio, donde yo era mártir y me era el verdugo!

Pues por la —en mí dos veces infeliz— habilidad de hacer versos, aunque fuesen sagrados, ¿qué pesadumbres no me han dado o cuáles no me han dejado de dar? Cierto, señora mía, que algunas veces me pongo a considerar que el que se señala —o le señala Dios, que es quien sólo lo puede hacer— es recibido como enemigo común, porque parece a algunos que usurpa los aplausos que ellos merecen o que hace estanque de las admiraciones a que aspiraban, y así le persiguen.

(...)

Yo confieso que me hallo muy distante de los términos de la sabiduría y que le he deseado seguir, aunque *a longe*. Pero todo ha sido acercarme más al fuego de la persecución, al crisol del tormento, y ha sido con tal extremo que han llegado a solicitar que se me prohíba el estudio.

Una vez lo consiguieron con una prelada muy santa y muy cándida que creyó que el estudio era cosa de Inquisición y me mandó que no estudiase. Yo la obedecí (unos tres meses que duró el poder ella mandar) en cuanto a no tomar libro, que en cuanto a no estudiar absolutamente, como no cae debajo de mi potestad, no lo pude hacer, porque aunque no estudiaba en los libros, estudiaba en todas las cosas que Dios crió, sirviéndome ellas de letras, y de libro toda esta máquina universal. Nada veía sin refleja; nada oía sin consideración, aun en las cosas más menudas y materiales; porque como no hay criatura, por baja que sea, en que no se conozca el *me fecit Deus,* no hay alguna que no pasme el entendimiento, si se considera como se debe. Así yo, vuelvo a decir, las miraba y admiraba todas; de tal manera que de las mismas personas con quienes hablaba, y de lo que me decían, me estaban resaltando mil consideraciones: ¿De dónde emanaría aquella variedad de genios e ingenios siendo todos de una especie? ¿Cuáles serían los temperamentos y ocultas cualidades que lo ocasionaban? Si veía una figura, estaba combinando la proporción de sus líneas y mediándola con el entendimiento y reduciéndola a otras diferentes. Paseábame algunas veces en el testero de un dormitorio nuestro (que es una pieza muy capaz) y estaba observando que siendo las líneas de sus dos lados paralelas y su techo a nivel, la vista fingía que sus líneas se inclinaban una a otra y que su techo estaba más bajo en lo distante que en lo próximo, de donde infería que las líneas visuales corren rectas, pero no paralelas, sino que van a formar una figura piramidal. Y discurría si sería esta la razón que obligó a los antiguos a dudar si el mundo era esférico o no. Porque, aunque lo parece, podía ser engaño de la vista, demostrando concavidades donde pudiera no haberlas.

Este modo de reparos en todo me sucedía y sucede siempre sin tener yo arbitrio en ello, que antes me suelo enfadar porque me cansa la cabeza; y yo creía que a todos sucedía esto mismo y el hacer versos, hasta que la experiencia me ha demostrado lo contrario; y es de tal manera esta naturaleza o costumbre, que nada veo sin segunda consideración. Estaban en mi presencia dos niñas jugando con un trompo, y apenas yo vi el movimiento y la figura cuando empecé, con esta mi locura, a considerar el fácil moto de la forma esférica y cómo duraba el impulso ya impreso e independiente de su causa, pues distante la mano de la niña, que era la causa motiva, bailaba el trompillo; y no contenta con esto, hice traer harina y cernerla para que, en bailando el trompo encima, se conociese si eran círculos perfectos o no los que describía con su movimiento; y hallé que no eran sino unas líneas espirales que iban perdiendo lo circular cuanto se iba remitiendo el impulso. Jugaban otras a los alfileres (que es el más frívolo juego que usa la puerilidad); yo me llegaba a contemplar las figuras que formaban; y viendo que acaso se pusieron tres en triángulo, me ponía a enlazar uno en otro, acordándome de que aquélla era la figura que dicen tenía el misterioso anillo de Salomón, en que había unas lejanas luces y representaciones de la Santísima Trinidad, en virtud de lo cual obraba tantos prodigios y maravillas; y la misma que dicen tuvo el arpa de David, y que por eso sanaba Saúl a su sonido; y casi la misma conservan las arpas en nuestros tiempos.

(...)

Y prosiguiendo en mi modo de cogitaciones, digo que esto es tan continuo en mí que no necesito de libros; y en una ocasión que, por un grave accidente de estómago, me prohibieron los médicos el estudio, pasé así algunos días, y luego les propuse que era menos dañoso el concedérmelo, porque eran tan fuertes y vehementes mis cogitaciones que consumían más espíritus en un cuarto de hora que el estudio de los libros en cuatro días; y así se redujeron a concederme que leyese. Y más, señora mía: que ni aun el sueño se libró de este continuo movimiento de mi imaginativa; antes suele obrar en él más libre y desembarazada, confiriendo con mayor claridad y sosiego las especies que ha conservado del día, arguyendo, haciendo versos, de que os pudiera hacer un catálogo muy grande, y de algunas razones y delgadezas que he alcanzado dormida mejor que despierta, y las dejo por no cansaros, pues basta lo dicho para que vuestra discreción y trascendencia

VP ANTTONIO NVÑES DE MIRANDA DELA
Compañia de Jhs. Prefecto de la mui illustre Congregacion de la Puris
sima por espacio de 32 años. Varon insigne en sabiduria, obseruancia
religiosa, i zelo de la saluacion de las almas. Murio en Mexico
de edad de 77 años a 17 de Febrero de 1695.
Bernardin. Aleman. Sculp. Mexico Año 1706.

Antonio Núñez de Miranda

penetre y se entere perfectamente en todo mi natural y del principio, medios y estado de mis estudios[14].

La *Respuesta* ofrece un testimonio tan contundente de la vocación intelectual de SJ que resulta innecesario hacer más comentarios al respecto. El descubrimiento, en 1980, de una *Carta* de SJ al padre Núñez sirvió para ratificar la dedicación intelectual de SJ, en los mismos términos que en la *Respuesta*, y aclarar cuál fue su relación con Núñez, su director espiritual, lo que lejos de ser una cuestión anecdótica es un aspecto determinante de su biografía[15].

La figura del padre Antonio Núñez de Miranda ha sido estudiada por Paz y, sobre todo, por Alatorre[16]. Tradicionalmente (desde la beatífica imagen que de él dejó Calleja) se ha supuesto que este religioso, con fama de santo y sabio, influyó decisivamente en que SJ tomara los hábitos. De la *Carta* se deduce que SJ ya tenía tomada su decisión e, incluso, conseguida la dote antes de que lo conociera. El padre Calleja no menciona el más mínimo roce entre ambos (es evidente que, por su amistad con SJ, tuvo que conocer el distanciamiento entre la monja y su confesor), pero sus diferencias son conocidas desde el año 1702, fecha en la que Juan Antonio de Oviedo publicó la biografía

---

[14] A partir de aquí, SJ se centra en el derecho de la mujer al estudio, citando numerosos ejemplos a través de la historia, y en la defensa de su papel como escritora frente a las críticas numerosas que había recibido. El tono que emplea no es el de una mujer que se acobarde ante la situación, más bien domina un sentimiento de seguridad —de quien está convencido de que tiene la razón— unido a destellos de altivez, fruto de un irreprimible deseo de confrontación intelectual con los que la acusan.

[15] La *Carta* al padre Núñez fue descubierta por Aureliano Tapia Méndez que la editó en 1981 y 1986. O. Paz también la incluyó a partir de la 3.ª edición de sus *Trampas...* (ed. mexicana). La mejor edición (que utilizo aquí modernizándola) es la que realizó Alatorre, acompañada de un largo, denso y exhaustivo estudio. Existe cierta polémica sobre la autenticidad de la *Carta*, dado que no se trata de un texto autógrafo de SJ. Sabat de Rivers y Bellini (1989) dudan que sea de SJ; en cambio, Alatorre y Benassy-Berling se muestran seguros en su atribución a SJ. Coincido con esta última opinión, basándome en los aspectos estilísticos y de contenido de dicho texto.

[16] En el estudio de Alatorre queda claro el carácter intransigente y el fanatismo religioso de este personaje.

del padre Núñez[17]. Según el relato de Oviedo (cfr. Maza, págs. 278-282), el padre Núñez, confesor de los virreyes, al tener noticia de las cualidades de la joven SJ y de su deseo de tomar los hábitos, «abrevió cuanto pudo aquella entrada» y escogió para ella el convento de las Carmelitas Descalzas. Sin embargo, SJ abandonó dicho convento a los tres meses, según Oviedo a causa de que enfermó por la rigurosidad de la regla carmelita[18]. Ya en el convento de San Jerónimo, sigue contando Oviedo, el padre Núñez no consiguió que SJ abandonase la publicación de poesías y otros textos, ni que decreciese en su afán por el estudio, por lo que «se retiró totalmente de la asistencia a la madre Juana», a la que sólo volvió dos años antes de la muerte de SJ, cuando se produce su conocida «conversión».

Sin embargo, el relato de SJ en su *Carta* al padre Núñez clarifica su relación con él y nos muestra, una vez más, a una mujer firme en sus convicciones. Reproduzco a continuación la mayor parte de dicha *Carta:*

> Aunque ha muchos tiempos que varias personas me han informado de que soy la única reprehensible en las conversaciones de V. R., fiscalizando mis acciones con tan agria ponderación como llegarlas a *escándalo público* y otros epítetos no menos horrorosos, y aunque pudiera la propia conciencia moverme a la defensa, pues no soy tan absoluto dueño de mi crédito que no esté coligado con el de un linaje que tengo y una comunidad en que vivo, —con todo esto, he querido sacrificar el sufrimiento a la suma veneración y filial cariño con que siempre he respetado a V. R., queriendo más aína que cayesen sobre mí todas las objeciones que no que pareciera pasaba yo la línea de mi justo y debido respeto en redargüir

---

[17] Oviedo, al hacer la biografía de su compañero de Orden religiosa (ambos fueron jesuitas), dedicó varias páginas a la relación entre SJ y su biografiado.

[18] Muchos biógrafos han visto en esta huida de SJ una clara manifestación de su falta de vocación religiosa, cuestionándose la veracidad de la enfermedad a la que alude Oviedo («Se trata, otra vez, de una leyenda piadosa», dice, por ejemplo, Paz, pág. 141). En todo caso es evidente la determinación de SJ al escoger la vida religiosa, pues dos años más tarde ingresaría definitivamente en las jerónimas.

a V. R. (en lo cual confieso ingenuamente que no pude merecer nada para con Dios, pues fue más humano respeto a su persona que cristiana paciencia), y esto no ignorando yo la veneración y crédito grande que V. R., con mucha razón, tiene con todos, y que le oyen como a un oráculo divino, y aprecian sus palabras como dictadas del Espíritu Santo, y que cuanto mayor es su autoridad tanto más queda perjudicado mi crédito, —con todo esto, nunca he querido asentir a las instancias que a que responda me ha hecho no sé si la razón o si el amor propio (que éste tal vez con capa de razón nos arrastra), juzgando que mi silencio sería el medio más suave para que V. R. se desapasionase, hasta que con el tiempo he reconocido que antes parece que le irrita mi paciencia, y así determiné responder a V. R., salvando y suponiendo mi amor, mi obligación y mi respeto.

La materia, pues, de este enojo de V. R., muy amado padre y señor mío, no ha sido otra que la de estos negros versos de que el Cielo tan contra la voluntad de V. R. me dotó. Éstos he rehusado sumamente el hacerlos, y me he excusado todo lo posible, —no porque en ellos hallase yo razón de bien ni de mal, que siempre los he tenido (como lo son) por cosa indiferente; y aunque pudiera decir cuántos los han usado, santos y doctos, no quiero entrometerme a su defensa, que no son mi padre ni mi madre: sólo digo que no los hacía por dar gusto a V. R., sin buscar ni averiguar la razón de su aborrecimiento —que es muy propio del amor obedecer a ciegas, demás que con esto también me conformaba con la natural repugnancia que siempre he tenido a hacerlos, como consta a cuantas personas me conocen—, pero esto no fue posible observarlo con tanto rigor que no tuviese algunas excepciones, tales como dos villancicos a la Santísima Virgen que, después de repetidas instancias, y pausa de ocho años, hice con venia y licencia de V. R., la cual tuve entonces por más necesaria que la del Sr. Arzobispo Virrey, mi prelado, y en ellos procedí con tal modestia, que no consentí en los primeros poner mi nombre, y en los segundos se puso sin consentimiento ni noticia mía, y unos y otros corrigió antes V. R.

A esto se siguió el Arco de la Iglesia. Ésta es la irremisible culpa mía, a la cual precedió habérmelo pedido tres o cuatro veces, y tantas despedídome yo, hasta que vinieron los dos señores jueces hacedores, que antes de llamarme a mí llamaron a la madre priora y después a mí, y mandaron en nombre del Excelentísimo Sr. Arzobispo lo hiciese, porque así lo ha-

bía votado el Cabildo pleno, y aprobado Su Excelencia.—
Ahora quisiera yo que V. R., con su clarísimo juicio, se pusiera
en mi lugar y, consultado, ¿qué respondiera en este lance?
¿Respondería que no podía? Era mentira. ¿Que no quería?
Era inobediencia. ¿Que no sabía? Ellos no pedían más que
hasta donde supiese. ¿Que estaba mal votado? Era, sobre des-
carado atrevimiento, villano y grosero desagradecimiento a
quien me honraba con el concepto de pensar que sabía hacer
una mujer ignorante lo que tan lucidos ingenios solicitaban:
luego no pude hacer otra cosa que obedecer.

(...)

Pues ahora, padre mío y mi señor, le suplico a V. R. de-
ponga por un rato el cariño del propio dictamen (que aun a
los muy santos arrastra) y dígame V. R. ya que en su opinión
es pecado hacer versos, ¿en cuál de estas ocasiones ha sido
tan grave el delito de hacerlos? Pues cuando fuera culpa (que
yo no sé por qué razón se le pueda llamar así), la disculparan
las mismas circunstancias y ocasiones que para ello he tenido, tan contra mi voluntad. Y esto bien claro se prueba. Pues
en la facilidad que todos saben que tengo, si a ésa se juntara
motivo de vanidad (quizá lo es de mortificación), ¿qué más
castigo me quiere V. R. que el que entre los mismos aplausos,
que tanto le duelen, tengo? ¿De qué envidia no soy blanco?
¿De qué mala intención no soy objeto? ¿Qué acción hago sin
temor? ¿Qué palabra digo sin recelo? Las mujeres sienten que
las exceda. Los hombres, que parezca que los igualo. Unos no
quisieran que supiera tanto. Otros dicen que había de saber
más, para tanto aplauso. Las viejas no quisieran que otras su-
pieran más. Las mozas, que otras parezcan bien. Y unos y
otros, que viese conforme a las reglas de su dictamen. Y de
todo junto resulta un tan extraño género de martirio cual no
sé yo que otra persona haya experimentado. ¿Qué más podré
decir ni ponderar? Que hasta el hacer esta forma de letra algo
razonable me costó una prolija y pesada persecución, no más
de porque dicen que parecía letra de hombre y que no era decente, con que me obligaron a malearla adrede, y de esto toda
esta comunidad es testigo. En fin, ésta no era materia para
una carta, sino para muchos volúmenes muy copiosos.

Pues ¿qué hechos son éstos tan culpables? Los aplausos y
celebraciones vulgares ¿los solicité? Y los particulares favores y honras de los Excelentísimos Sres. Marqueses, que por

sola su dignación y sin igual humanidad me hacen, ¿los procuré yo? Tan a la contra sucedió, que la madre Juana de San Antonio, priora de este convento y persona que por ningún caso podrá mentir, es testigo de que la primera vez que Sus Excelencias honraron esta casa, le pedí licencia para retirarme a la celda y no verlos ni ser vista (¡como si Sus Excelencias me hubiesen hecho algún daño!), sin más motivo que huir del aplauso, que así se convierte en tan pungentes espinas de persecución; y lo hubiera conseguido a no mandarme la madre priora lo contrario.

(...)

Mis estudios no han sido en daño ni perjuicio de nadie, mayormente habiendo sido tan sumamente privados que no me he valido ni aun de la dirección de un maestro, sino que a secas me lo he habido conmigo y mi trabajo —que no ignoro que el cursar públicamente las escuelas no fuera decente a la honestidad de una mujer, por la ocasionada familiaridad con los hombres, y que ésta sería la razón de prohibir los estudios públicos; y el no disputarles lugar señalado para ellos será porque, como no las ha menester la república para el gobierno de los magistrados (de que por la misma razón de honestidad están excluidas), no cuida de lo que no le ha de servir; pero los privados y particulares estudios ¿quién los ha prohibido a las mujeres? ¿No tienen alma racional como los hombres? Pues ¿por qué no gozará el privilegio de la ilustración de las letras con ellos? ¿No es capaz de tanta gracia y gloria de Dios como la suya? Pues ¿por qué no será capaz de tantas noticias y ciencias, que es menos? ¿Qué revelación divina, qué determinación de la Iglesia, qué dictamen de la razón hizo para nosotras tan severa ley? ¿Las letras estorban, sino que antes ayudan, a la salvación?

(...)

¿Por qué ha de ser malo que el rato que yo había de estar en una reja hablando disparates, o en una celda murmurando cuanto pasa fuera y dentro de casa, o peleando con otra, o riñendo a la triste sirviente, o vagando por todo el mundo con el pensamiento, lo gastara en estudiar, y más cuando Dios me inclinó a eso, y no me pareció que era contra su ley santísima ni contra la obligación de mi estado? Yo tengo este genio. Si es malo, yo me hice. Nací con él y con él he de morir. V. R. quiere que por fuerza me salve ignorando. Pues, amado padre mío, ¿no puede esto hacerse sabiendo, que al fin es camino para mí más suave? Pues ¿por qué para salvarse ha de ir por el camino de la ignorancia si es repugnante a su natural? ¿no es Dios, como suma bondad, suma sabiduría?

(...)

Pues ¿por qué es esta pesadumbre de V. R., y el decir *que a saber que yo había de hacer versos no me hubiera entrado religiosa, sino casádome?* Pues, padre amantísimo (a quien forzada y con vergüenza insto lo que no quisiera tomar en boca), ¿cuál era el dominio directo que tenía V. R. para disponer de mi persona y del albedrío (sacando el que mi amor le daba y le dará siempre) que Dios me dio? Pues cuando ello sucedió, había muy poco que yo tenía la dicha de conocer a V. R.; y, aunque le debí sumos deseos y solicitudes de mi estado, que estimaré siempre como debo, lo tocante a la dote mucho antes de conocer yo a V. R. lo tenía ajustado mi padrino el capitán D. Pedro Velázquez de la Cadena, y agenciádomelo estas mismas prendas en las cuales, y no en otra cosa, me libró Dios el remedio. Luego no hay sobre qué caiga tal proposición, aunque no niego deberle a V. R. otros cariños y agasajos muchos que reconoceré eternamente, tal como el de pagarme maestro, y otros.

Pero no es razón que éstos no se continúen, sino que se hayan convertido en vituperios, y en que no haya conversación en que no salgan mis culpas, y sea el tema espiritual el celo de V. R. por mi conversión.

(...)

¿En qué se funda, pues, este enojo, en qué este desacreditarme, en qué este ponerme en concepto de escandalosa con todos? ¿Canso yo a V. R. con algo? ¿Hele pedido alguna cosa para el socorro de mis necesidades, o le he molestado con otra espiritual ni temporal? ¿Tócale a V. R. mi corrección por alguna razón de obligación, de parentesco, crianza, prelacía o tal que cosa? Si es mera caridad, parezca mera caridad y proceda como tal, suavemente, que el exasperarme no es buen modo de reducirme, ni yo tengo tan servil natural que haga por amenazas lo que no me persuade la razón, ni por respetos humanos lo que no hago por Dios —que el privarme yo de todo aquello que me puede dar gusto, aunque sea muy lícito, es bueno que yo lo haga por mortificarme cuando yo quiera hacer penitencia, pero no para que V. R. lo quiera conseguir a fuerza de reprehensiones, y éstas no a mí en secreto, como ordena la paternal corrección (ya que V. R. ha dado en ser mi padre, cosa en que me tengo por muy dichosa), sino públicamente con todos, donde cada uno siente como entiende y habla como siente.

(...)

Porque si por contradicción de dictamen hubiera yo de hablar apasionada contra V. R. como lo hace V. R. contra mí, infinitas ocasiones suyas me repugnan sumamente (porque, al fin, el sentir en las materias indiferentes es aquel *alius sic et alius sic*), pero no por eso las condeno, sino que antes las venero como suyas y las defiendo como mías, y aun quizá las mismas que son contra mí, llamándolas buen celo, sumo cariño y otros títulos que sabe inventar mi amor y reverencia cuando hablo con los otros. Pero a V. R. no puedo dejar de decirle que rebosan ya en el pecho las quejas que en espacio de dos años pudiera haber dado; y que pues tomo la pluma para darlas, redarguyendo a quien tanto venero, es porque ya no puedo más —que como no soy tan mortificada como otras hijas en quien se empleara mejor su doctrina, lo siento demasiado.

Y así le suplico a V. R. que si no gusta ni es ya servido favorecerme (que eso es voluntario) no se acuerde de mí, que aunque sentiré tanta pérdida mucho, nunca podré quejarme, que Dios que me crió y redimió, y que usa conmigo tantas misericordias, proveerá con remedio para mi alma, que espero en su bondad no se perderá, aunque le falte la dirección de V. R., que al cielo hacen muchas llaves, y no se estrechó a un solo dictamen, sino que hay en él infinidad de mansiones para diversos genios, y en el mundo hay muchos teólogos —y cuando faltaran, en querer más que en saber consiste el salvarse, y esto más estará en mí que en el confesor. ¿Qué precisión hay en que esta salvación mía sea por medio de V. R.? ¿No podrá ser por otro? ¿Restringióse y limitóse la misericordia de Dios a un hombre, aunque sea tan discreto, tan docto y tan santo como V. R.? No por cierto, ni hasta ahora he tenido yo luz particular ni inspiración del Señor que así me lo ordene. Con que podré gobernarme con las reglas generales de la Santa Madre Iglesia mientras el Señor no me da luz de que haga otra cosa, y elegir libremente padre espiritual el que yo quisiere, que si como Nuestro Señor inclinó a V. R. con tanto amor y fuerza mi voluntad conformara también mi dictamen, no fuera otro que V. R., a quien suplico no tenga esta ingenuidad a atrevimiento ni a menos respeto, sino a sencillez de mi corazón con que no sé decir las cosas sino como las siento, y antes he procurado hablar de manera que no pueda dejar a V. R. rastro de sentimiento o quejas. Y, no obstante, si en este manifiesto de mis culpas hubiere alguna palabra que haya escrito mala, será inadvertencia, que la voluntad no sólo digo de ofensa, pero de menos decoro a la persona de V. R., desde luego la retracto y doy por mal dicha y peor escrita, y borrara desde luego si advírtiera cuál era.

Vuelvo a repetir que mi intención es sólo suplicar a V. R. que si no gusta favorecerme, no se acuerde de mí si no fuere para encomendarme al Señor, que bien creo de su mucha caridad lo hará con todas veras.

Yo pido a Su Majestad me guarde a V. R., como deseo.

De este convento de mi padre San Jerónimo de México.

Vuestra Juana Inés de la Cruz.

La renuncia

La *Carta* al padre Núñez aparece ante nuestros ojos como el testimonio de una mujer que —enfrentada a las convenciones de su época— se proclama libre para seguir su vocación intelectual. Lo hace, ciertamente, con gesto triunfante y hasta arrogante (pura retórica convencional son sus rasgos de humildad), sabiendo que, además, cuenta con la sombra protectora de los virreyes, los marqueses de la Laguna[19]. La llegada de éstos a México marca el inicio de la etapa más brillante de SJ. Su amistad con los virreyes quedó plasmada en los numerosos poemas que les dedicó;

---

[19] Después del gobierno de los marqueses de Mancera (1664-1673), cuya devoción por SJ ya ha quedado patente, gobernó en México el arzobispo fray Payo Enríquez de Rivera (1673-1680), periodo fundamental en la formación intelectual de SJ, pero del que desconocemos detalles: su relación con SJ debió de ser distante aunque sin tirantez.

de modo especial, en los que compuso para la virreina, María Luisa Manrique de Lara, la «Lisi» de sus versos. Segura se debía sentir, por lo tanto, SJ en 1682 como para permitirse enfrentarse a un personaje tan poderoso como Núñez. Tampoco debió de importarle demasiado que en 1685 ascendiese al arzobispado de México Francisco de Aguiar y Seijas, hombre verdaderamente hostil a SJ y que F. de la Maza califica de «neurótico obsesivo, misógino feroz, asceta con aspiraciones a la santidad, irresponsable en asuntos de dinero para satisfacer su enfermiza *caridad*» (pág. 76). También los condes de Galve favorecieron a SJ durante su virreinato[20].

Cuando SJ escribe la *Respuesta* en 1691 nada se ha modificado en su conducta con respecto a lo manifestado en la *Carta* al padre Núñez. Sin embargo, hace confesión general con él y escribe una petición, *en forma causídica,* al Tribunal Divino, pidiendo el perdón de sus culpas. Es un texto que, probablemente, responde a la retórica del género, pero que el lector no puede menos que «lamentar» porque en él SJ se da por vencida: su vida intelectual ha llegado a su fin. Es muy posible que, como especula Paz, la segunda parte de 1692 haya sido un periodo de fuerte lucha espiritual para SJ, antes de tomar ese nuevo rumbo en su vida. ¿Por qué esa renuncia de SJ? No es fácil que lleguemos a conocer sus razones. Incluso es probable que se trate de una verdadera «conversión». Paz alude a la influencia de hechos externos (págs. 577-578), como los tumultos en México de 1692, que debilitaron el poder del virrey y aumentaron la influencia del arzobispo Aguiar y Seijas. Pero es difícil pensar que la falta de un amparo exterior fuese la razón de su renuncia. Como señala Sabat de Rivers (1982, pág. 278), «una mujer que luchó tan incansablemente durante tantos años para defender sus derechos no se hubiera doblegado si a ello no la hubiera inclinado un convenci-

---

[20] El marqués de la Laguna gobernó hasta el año 1686. Los dos años siguientes fue virrey el conde de Monclova, periodo sin especial relevancia en relación con SJ. De 1688 a 1696 desempeñó el virreinato el conde de Galve.

Tomás Antonio de la Cerda, Marqués de la Laguna y Conde de Paredes,
protector de Sor Juana

miento íntimo». Lo cierto es que renunció a toda actividad intelectual, y se desprendió de sus libros, esos «cuatro mil amigos» de que habla Calleja,

> para que, vendidos, hiciese[21] limosna a los pobres, y aún más que estudiados, aprovechasen a su entendimiento en este uso. Esta buena fortuna corrieron también los instrumentos músicos y matemáticos, que los tenía muchos, preciosos y exquisitos. Las preseas y bujerías y demás bienes que aún de muy lejos le presentaban ilustres personajes aficionados a su famoso nombre, todo lo redujo a dinero con que, socorriendo a muchos pobres, compró paciencia para ellos y cielo para sí; no dejó en su celda más que solos tres libritos de devoción y muchos cilicios y disciplinas (pág. 151).

Dos años después, el 17 de abril de 1695, moría Sor Juana Inés de la Cruz, cuando, en el nuevo sesgo religioso que había tomado su vida, atendía caritativamente a sus hermanas de convento de una epidemia mortífera, tal como relata Calleja[22].

II. La obra literaria de Sor Juana

La obra de SJ quedó recogida en los tres tomos que se publicaron respectivamente en 1689, 1692 y 1700. Algunas obras, incluidas en estos tomos, se publicaron también de forma independiente, pero son escasos los textos publicados en vida de la autora que no pasaron a formar parte de estos tomos. El editor de su tercer tomo, *Fama...*, Juan Ignacio Castorena, alude a que muchos textos de SJ se perdieron por el escaso interés de la escritora en conservar su obra. Esta afirmación coincide, ciertamente, con el desin-

---

[21] Se refiere al arzobispo, Seijas.

[22] Ejemplo de esta última etapa de SJ es la anécdota que relata Calleja: «Una vez le preguntaron los padres de su docta y santa familia al Padre Antonio Núñez que cómo la iba a la Madre Juana de anhelar a la perfección. Y respondió: es menester mortificarla, para que no se mortifique mucho, yéndola a la mano en sus penitencias, porque no pierda la salud y se inhabilite; porque Juana Inés no corre en la virtud, sino es que vuela» (pág. 152).

terés que por su obra manifiesta SJ en la *Respuesta* y en la *Carta* al padre Núñez; desinterés que, más allá de la retórica de la falsa humildad, tiene visos de ser real. Confirma esta hipótesis, además, la escasa participación de SJ en la publicación de sus obras: varios villancicos suyos aparecieron como anónimos, la *Carta Athenagórica* fue publicada sin su conocimiento, los dos primeros tomos recogen sus obras sin un criterio cronológico ni temático, al modo de una antología acumulativa. Entre las obras perdidas tendría un interés especial un tratado de música, *El caracol,* del que informa Calleja. También este autor informa de un poema perdido que cronológicamente sería el primero de SJ, una *Loa al Santísimo Sacramento,* escrita en 1659. La primera obra que hoy puede fecharse es un soneto, «A la muerte del Señor Rey Felipe IV», escrito en 1666. A partir de este momento la obra de SJ va creciendo, siendo su momento culminante el que transcurre entre 1680 y 1692. También Castorena informa de otras obras perdidas, cuya relación puede verse en Méndez Plancarte (t. I, XLIV-XLV), quien alude, a su vez, a otras obras inciertas y apócrifas (XLV-XLVIII).

En la siguiente tabla cronológica se relacionan las obras de SJ, mencionando su publicación si la hubiere.

1676 Villancicos a la Asunción (ed. en México, aparecieron anónimos).
        Villancicos a la Concepción (ed. en México, anónimos).
1677 Villancicos a San Pedro Nolasco (ed. en México, anónimos).
        Villancicos a San Pedro Apóstol (ed. en México).
1679 Villancicos a la Asunción (ed. en México).
1680 Un soneto, editado en los preliminares de un libro de otro autor (Cfr. Méndez Plancarte, t. I, pág. 549, núm. 204).
        Neptuno Alegórico, ed. en México y sin fecha.
1683 Villancicos a San Pedro Apóstol (ed. en México, anónimos).

Los empeños de una casa. Se representó esta comedia de enredo en el palacio de los virreyes.

Un romance, incluido en obra de otro autor (ed. en México) (Cfr. Méndez Plancarte, t. I, págs. 387-388, núm. 22).

1685 Villancicos a la Asunción (ed. en México, anónimos).

1689 Villancicos a la Concepción (ed. en Puebla).

Villancicos a la Natividad (ed. en Puebla, anónimos).

Amor es más laberinto. Se representó esta comedia mitológica galante en el palacio de los virreyes.

Tomo I de sus obras:

Ediciones antiguas: *Inundación Castálida...* (Madrid, 1689). Con el título de *Poemas...*, Madrid, 1690; Barcelona, 1691; Zaragoza, 1692; Valencia, 1709 (dos ediciones); Madrid, 1714; Madrid, 1725 (dos ediciones).

Contiene 121 poemas, más cinco juegos completos de villancicos y el *Neptuno Alegórico* y la *Explicación del Arco.*

1690 Villancicos a la Asunción (ed. en Puebla, anónimos).

Villancicos a San José (ed. en Puebla).

Auto Sacramental del Divino Narciso (ed. en México).

Carta Athenagórica (ed. en Puebla).

1691 Una silva, incluida en obra de otro autor (ed. en México) (Cfr. Méndez Plancarte, t. I, pág. 570, núm. 215).

1692 *Tomo II:*

Ediciones antiguas: *Segundo volumen...* (Sevilla, 1692). Con el título de *Segundo tomo...*, Barcelona, 1693 (tres ediciones). Con el título de *Obras poéticas...*, Madrid, 1715; Madrid, 1725.

Contiene: *Crisis sobre un Sermón...* (es decir, la *Carta Athenagórica);* dos juegos completos de villancicos; varias «Letras Sacras»; *El Mártir del Sacramento S. Hermenegildo* (auto sacramental hagiográfico); *El cetro de José* (auto sacramental bíblico); *Primero Sue-*

INVNDACION CASTALIDA

DE

LA VNICA POETISA, MVSA DEZIMA,

SOROR JVANA INES

DE LA CRVZ, RELIGIOSA PROFESSA EN
el Monasterio de San Geronimo de la Imperial
Ciudad de Mexico.

QVE

EN VARIOS METROS, IDIOMAS, Y ESTILOS,
Fertiliza varios assumptos:

CON

ELEGANTES, SVTILES, CLAROS, INGENIOSOS,
VTILES VERSOS:

PARA ENSENANZA, RECREO, Y ADMIRACION.

DEDICALOS

A LA EXCEL.ᴹᴬ SEÑORA. SEÑORA D. MARIA
Luisa Gonçaga Manrique de Lara, Condesa de Paredes,
Marquesa de la Laguna,

Y LOS SACA A LVZ
D. JVAN CAMACHO GAYNA, CAVALLERO DEL ORDEN
de Santiago, Mayordomo, y Cavallerizo que fue de su Excelencia,
Governador actual de la Ciudad del Puerto
de Santa MARIA.

CON PRIVILEGIO.

EN MADRID: Por Jvan Garcia Infanzon. Año de 1689.

ño y otros 70 poemas; *Amor es más laberinto; Los empeños de una casa* y varias loas.

1700 *Tomo III:*

Ediciones antiguas: con el título de *Fama, y obras póstumas...,* Madrid, 1700; Barcelona, 1701; Madrid, 1714; Madrid, 1725.

Contiene: la *Respuesta,* cinco textos en prosa de carácter devoto y diez poemas.

Como puede comprobarse, el éxito editorial de SJ es muy llamativo. Pocos autores del Barroco tuvieron el privilegio de que sus obras fuesen reeditadas tantas veces en tan corto espacio de tiempo, sobre todo si tenemos en cuenta que se trata de contenido fundamentalmente poético. La fama de SJ quedó patente en los numerosos poemas encomiásticos que los escritores de su tiempo le dedicaron como homenaje póstumo en la *Fama.*

De la extensa obra de SJ sólo se incluyen en esta antología composiciones poemáticas de carácter lírico. En consecuencia, se excluyen las obras de teatro (aunque se hubiesen podido extraer algunas partes de las mismas como si fueran poemas independientes) y las loas y los villancicos, ya que estas obras, a pesar de su carácter fronterizo con la lírica, están escritas también desde la perspectiva de la dramaturgia. A pesar de no incluir en esta antología ni loas ni villancicos, considero que será interesante para el lector hacer una presentación de los mismos por su cercanía con la lírica.

SJ publicó doce loas (nueve aparecieron en la *Inundación castálida* y el resto en el tomo II de sus obras, formando parte de sus comedias y autos sacramentales). Todas ellas tienen entidad propia, desarrollando temas de índole intelectual (la influencia astrológica, la armonía universal, el papel de las potencias del alma, etc...) a través de personajes alegóricos y mitológicos. Obras de tono culto, en torno a los 500 versos, incluían todo tipo de alabanzas a los personajes a quienes estaban dedicadas (a Carlos II dedica cuatro, y otras tantas a los virreyes y sus familiares) y eran representaciones típicamente palaciegas, con todos los medios de la tramoya del momento. Su tono excesivamente adulador, lo artificioso de los temas y la ausencia, para el lector actual, del boato de su escenificación, explican el poco atractivo que las loas de SJ tienen hoy día (lo mismo nos ocurre con las loas de cualquier escritor del siglo XVII). Sin embargo, más que una carencia de las loas en sí mismas, se trata de una cuestión de incompatibilidad de nuestro gusto literario frente a algunas de las formulaciones características de la poética culta del siglo XVII[23].

Los villancicos de SJ, frente a sus loas, gozan del aplauso de la crítica. Son composiciones poéticas opuestas, ya que en éstos lo que domina es la sencillez y el tono popular. En el siglo XVII se denominaban «villancicos» a las composiciones que se cantaban en los maitines de las fiestas religiosas. «Cada juego de villancicos obedece a un formato fijo compuesto por nueve composiciones (ocho alguna vez ya que la última podía sustituirse por el "Te Deum"): tres nocturnos formados, cada uno de ellos, por tres villancicos compuestos a su vez por coplas, estribillos, jácaras, glosas o ensaladas» (Sabat de Rivers, «Sor Juana Inés de la Cruz», 1982, pág. 286). Como se puede apreciar, cada villancico estaba formado por un buen número de poemas, lo que les otorgaba una considerable extensión. Temáticamente, el villancico escoge un motivo central, relacionado con la festividad que se celebra, desarrollándolo en una variada gama de tonos poéticos que abarcan desde lo culto a lo popular. Poemas cultos, aunque sin ningún tipo de exceso, junto a poemas en latín, forman la cara sólo relativamente seria de los villancicos. Lo cierto es que todo se desborda hacia lo popular, en un juego magistral de poemas que, como cascada jubilosa, nos va ofreciendo la alegre y sencilla participación de las gentes del pueblo. SJ, lo mismo que otros grandes creadores del Barroco, tiene pleno dominio sobre el registro de la poesía más popular. Sus villancicos son la mejor muestra de una poesía que acertó a captar y a transmitir los gustos sencillos y la alegre comici-

---

[23] Véase sobre las loas de SJ el excelente resumen de Sabat de Rivers (1982, págs. 47-54).

dad del pueblo, siempre en el marco de una dignidad que no hace concesiones a la más mínima vulgaridad. Hoy día no dejan de asombrarnos el gracejo de los cantos de negros, las onomatopeyas anticipadoras de la poesía afroantillana, la simpatía de las jergas en macarrónicos latines, las hablas imitadoras del portugués o del vasco, el exotismo de unos versos en náhuatl. Sabia mezcla de lo culto y lo popular, sus villancicos tuvieron enorme éxito como puede comprobarse por los continuos encargos que se le hicieron. Cantados en los maitines, tienen una clara configuración dramática, gracias a los distintos personajes que intervienen en ellos.

Unas últimas consideraciones para finalizar esta parte. SJ, como autora teatral, aparece hoy ante nuestros ojos como uno de los dramaturgos más importantes en el ambiente hispanoamericano del siglo XVII. En su época, sin embargo, es posible que esta actividad teatral ocupase un lugar secundario. Aunque sus obras teatrales se publicaron en el Tomo II (1692), el hecho de que las representaciones estuvieran restringidas al marco palaciego haría que su conocimiento fuese escaso, pues, al contrario que en la poesía, la entidad de estas obras no facilitaba su difusión.

En cuanto a su prosa, el lector ya ha tenido ocasión de comprobar la brillantez de sus textos autobiográficos. Literariamente, ni sus textos devotos ni su *Carta Athenagórica,* tienen demasiado interés. Sin embargo, este último texto, también conocido como *Crisis de un sermón,* sí es importante desde un punto de vista ideológico. SJ rechaza los argumentos de un sermón que había escrito un famoso jesuita, el padre Vieyra, cuarenta años antes. El texto de SJ tuvo gran repercusión. ¿Tan audaz era la crítica de SJ o, simplemente, la novedad radicaba en que dicha crítica estaba escrita por una mujer? Las agudas contraargumentaciones que esgrime SJ son una muestra más de su gusto por la dialéctica, pero, en sí mismas, tienen un interés secundario. Lo fundamental es el «atrevimiento» al escribir sobre temas de carácter teológico, inmiscuyéndose así en un campo acotado por los hombres. Es probable, como supone O. Paz, que Fernández de Santa Cruz, al publicar el texto de SJ, lo hiciese con la oculta intención de molestar a los jesuitas y al arzobispo Seijas[24]; para SJ, la difusión de su escrito supuso mucho más: era entrar en competencia con los hombres en asuntos de letras sagradas, lo que planteaba directamente la cuestión más palpitante de su vida, el derecho de la mujer a ejercer su intelectualidad al mismo nivel que el hombre. Toda la *Respuesta* es una defensa de ese derecho. En un momento dado de la *Respuesta* plantea la cuestión de si es lícito que las mujeres estudien la Sagrada Escritura y la interpreten. Acogiéndome a lo dicho por un autor de su época, el doctor Arce, reproduzco lo que parecía ser la opinión general: «que el leer públicamente en las cátedras y predicar en los púlpitos no es lícito a las mujeres; pero que el estudiar, escribir y enseñar privadamente no sólo les es lícito, pero muy provechoso y útil». Resulta evidente que SJ no podía compartir la primera opinión, tan evidente como que tampoco podía manifestarse en contra. SJ debió sentirse atrapada por su propia época. Su *Carta Athenagórica* no se limitaba a tener una resonancia privada; aun antes de ser publicada, su difusión había dado origen a la polémica. Los versos le sirvieron de escudo para plantear temas intelectuales que los hombres consideraban patrimonio suyo. Mujer de su tiempo, aceptó las convenciones de su época, pero se rebeló contra la que afectaba más a su dignidad humana; la desigualdad del hombre y de la mujer desde el punto de vista intelectual.

---

[24] SJ revela en la *Respuesta* que fue atacada con motivo de haber escrito su *Crisis...*: «Si es, como dice el censor, herética, ¿por qué no la delata?», «ni toqué a la Sagrada Compañía en el pelo de la ropa».

III. Análisis de su poesía

La poesía de SJ es fiel reflejo de la culminación del Barroco. Heredera de una tradición poética que se consolida en el siglo xvi, tiene a su alcance todos los recursos, tanto temáticos como formales, que los grandes poetas hispánicos que le preceden habían explorado. SJ no se limitó a mimetizar esas experiencias poéticas y su sello personal se hace patente aun tratándose de una concepción poética marcada por el signo de la colectividad: los temas y motivos venían repitiéndose desde el Renacimiento y aún antes, y el poeta trataba de igualar o superar esos modelos. Se trata, por tanto, de una poesía que tiende a alcanzar una gran perfección técnica y que está obligada a presentar de manera novedosa temas que, por la reiteración con que son tratados, se habían convertido en tópicos. La dificultad para seguir este modelo se hace patente al comparar la poesía de SJ con la de sus contemporáneos. Más aún si observamos las reminiscencias barrocas, llenas de trivialidad, que perduran en la primera mitad del siglo xviii.

Técnicamente, la poesía de SJ se fundamenta en el dominio de tres campos: la versificación, las alusiones mitológicas y el uso del hipérbaton.

La versificación de SJ ha sido estudiada de modo minucioso por Navarro Tomás. Su dominio de los más variados metros es total, siendo verdaderamente innovadora al recuperar estrofas ya en desuso. Su perfección es tal que es difícil encontrar rimas inadecuadas o acentuaciones forzadas. SJ se presenta ante nosotros como una de las grandes versificadoras del Barroco, con esa facilidad innata que tenían Lope de Vega o Quevedo. Dominar esta técnica era para un poeta de su época un requisito imprescindible. Su facilidad es tal que no se aprecian diferencias entre sus poemas: sería imposible, por ejemplo, tratar de establecer una cronología de sus poemas (de la que se carece) basándose en una mayor imperfección que atribuyésemos a su obra primeriza.

La mitología es una referencia obligada para el poeta renacentista y barroco. Tanto para expresar sus propios sentimientos, como para ilustrar, simbólicamente, una situación o conducta, el poeta acudía al recurso de la mitología que, por la propia tradición poética, había acotado sus diversas historias a determinadas situaciones tópicas. SJ utiliza de manera moderada la mitología, aunque en algunos de sus poemas más culteranos las referencias mitológicas son muy abundantes. En la época de SJ se ha llegado a una saturación tal en el uso de la mitología que insistir en presentar poéticamente los diversos mitos debía parecer un esfuerzo baldío e, incluso, inadecuado. El criterio de «saturación» es importante para entender las características de la poesía barroca, fundamentada en el concepto de imitación. Las posibilidades que un poeta tenía de innovar sobre un tema tópico eran teóricamente ilimitadas, pero no menos cierto es que, cuando las variantes de ese tema alcanzaban un número elevado, se producía una saturación que hacía difícil la aportación de novedades[25]. De hecho, SJ no recrea poéticamente los mitos; su utilización de los mismos es a través de la alusión o referencia, sabiendo que no necesita explayarse en explicar algo que los lectores conocen sobradamente. De esta circunstancia derivan no pocas dificultades para el lector actual, para quien la mitología no está integrada en su cultura: es frecuente que SJ aluda a un mito apenas sin nombrarlo, refiriéndose sólo a aspectos secundarios del mismo. En todo caso, el hecho de que en la segunda mitad del siglo XVII la mitología hubiese encontrado su punto de saturación en la poesía no era obstáculo para que su presencia fuera obligatoria, dado que constituía, junto con otros elementos culturales, la nota erudita que todo poeta debía mostrar. Así lo debió de entender también SJ.

---

[25] Un ejemplo puede ayudar a comprender el criterio de «saturación». En el marco de la novela pastoril, la clásica *Arcadia* de Sannazaro y *El Siglo de Oro en las selvas de Erifile* (1608) del imitador Bernardo de Balbuena, encuentran su punto final no porque se haya llegado a un desenlace en la acción (aspecto del que carecen) sino cuando los temas pastoriles han sido tratados con la suficiente saturación.

En cuanto al hipérbaton, otro de los elementos característicos de la poesía de la época, es utilizado por SJ de forma continuada. En el estudio de Rosa Perelmuter sobre el *Sueño* pueden encontrarse las múltiples formulaciones combinatorias, ejemplos máximos de lo que es una constante en toda la obra poética de SJ. Nuevamente nos encontramos con una técnica que alcanzó en el Barroco su máxima expresión. Para el lector actual este aspecto añade un grado de dificultad notable, que sólo podrá ir superando después de una continuada lectura, cuando llega a habituarse a esa sintaxis forzada.

SJ domina a la perfección éstas y otras técnicas de la poesía barroca. Pero la calidad literaria de un poema radica en algo más que la técnica. Esa calidad, que sitúa en un puesto de honor a la monja mexicana, es fruto del acierto individualizado, poema a poema; de la aportación personal que añade ese «algo más» a una técnica depurada. Heredera de una cultura que había llegado a su apogeo, SJ supo transmitir lo mejor de las corrientes poéticas de su época: la brillantez culterana de sus versos gongorinos junto al ingenio conceptista de Quevedo y Calderón.

El lector actual fácilmente se sentirá deslumbrado por las brillantes imágenes creadas por SJ, se admirará de sus juegos de palabras, del uso del término preciso y de la perfección formal de su poesía. El peligro, sin embargo, de quedarse en el plano más superficial es evidente. Es difícil penetrar en el entramado poético de SJ. Su poesía se fundamenta en una complejísima concepción cultural que hemos heredado, pero que ya no es la nuestra. Cada idea, cada imagen, que nos presenta SJ es como el fruto vistoso que ofrece el frondoso árbol de la tradición cultural. Su árbol ya no es el nuestro: el centenario árbol que nosotros vemos ha sufrido demasiadas podas e injertos. Tal vez, hoy, nos reencontremos con nuestro pasado cultural de la mano de Sor Juana. Mejor guía sería difícil encontrarlo.

Poesía amorosa

Los tres primeros sonetos seleccionados (3, 4 y 5) plantean temas correspondientes a la casuística amorosa. En el primero de ellos SJ personifica en Fabio al ser amado y en Silvio al amante aborrecido. Como podrá comprobarse, es frecuente esta personificación en otros poemas amorosos, y el nombre de Fabio aparecerá, de manera insistente, en un grupo de poemas que presentan un carácter aparentemente más intimista. Se trata de una «invención» puramente literaria. Algunos críticos (Chávez, por ejemplo) lo interpretaron como un rasgo autobiográfico y pensaron que bajo el nombre de Fabio se ocultaba el verdadero amor de SJ que, decorosamente, suponían que pertenecía a su etapa en la corte[26]. No sólo no existe base documental alguna para tal suposición, sino que pensar esto es desconocer las normas de la poesía amatoria de los siglos XVI y XVII. Según comenta O. Paz: «Entre la Edad Barroca y nosotros se interpone la gran ruptura: el Romanticismo, con su exaltación de la sinceridad y de la espontaneidad. La doctrina romántica proclamó la unidad entre el autor y la obra; el arte barroco los distingue y separa hasta el máximo: el poema no es un testimonio sino una forma verbal que es, al mismo tiempo, la reiteración de un arquetipo y una variación del modelo heredado» (pág. 369). Ni siquiera es preciso, como propone Paz, pensar que SJ transmitió

---

[26] La crítica reciente tiende a desligar totalmente la poesía amorosa de SJ de estos presuntos rasgos biográficos. Tradicionalmente, sin embargo, la crítica del siglo XIX e, incluso, la que llega más allá de la 2.ª mitad del siglo XX, no ha podido sustraerse a sus propias convenciones románticas. Así, Menéndez Pelayo opinaba que «es cierto que no hay más indicio que sus propios versos, pero éstos hablan con tal elocuencia, y con voces tales de pasión sincera y mal correspondida o torpemente burlada...» (*Historia de la poesía hispanoamericana,* I, Santander, C.S.I.C., 1948, pág. 74), y Raúl Leiva comenta: «Don Marcelino para en seco a todos aquellos críticos que han tenido miedo a decir la verdad» (*Introducción a sor Juana, sueño y realidad,* México, UNAM, 1975, pág. 18).

en su poesía unas experiencias amorosas imaginadas. Renunciar a escribir poesía amorosa, la tradición lírica más importante, hubiese significado una amputación en su trayectoria como poeta de temas profanos. En su época se le criticó que, siendo monja, escribiese de temas profanos, pero no porque parte de ellos tratasen sobre el amor. Si sus contemporáneos hubieran identificado su poesía amorosa con una experiencia real, el escándalo habría surgido; también resulta increíble que SJ se hubiese atrevido a reflejar en sus poemas antiguos amores.

La importancia de separar la experiencia vital de SJ de su poesía amorosa no radica tanto en que, así, se evita crear una biografía novelesca, sino en que es la única forma de entender su poesía[27]. SJ asume en su poesía amorosa la larga tradición de unos modelos que, remontándose a la Edad Media, quedaron fijados en el Renacimiento y fueron evolucionando, sin rupturas, a lo largo del Barroco, tal como ya señaló Otis H. Green[28]. Así, en SJ, podrán encontrarse las típicas antítesis petrarquistas, los lamentos y quejas del amor cortés, la tradición neoplatónica de León Hebreo y Castiglione o el neoestoicismo barroco de Quevedo.

La poesía amorosa de SJ puede dividirse en tres grupos de poemas: los que tratan de la casuística amorosa, los de índole personal y los de amistad. Escritos desde la perspectiva narrativa de la primera persona, el «yo poético» se identifica con el de la propia autora. Sigue en esto la tradición poética ya que, como comenta Colombí-Monguió, «tanto dentro del sistema del amor cortés como del petrar-

---

[27] En su poesía se hacen patentes los presupuestos aristotélicos de la «verosimilitud» como esencia de la «poesía». Según Parker —y es aplicable a SJ—, la poesía de los siglos XVI y XVII «tamiza la experiencia y la registra por medio de la imaginación. No sólo puede la imaginación transformar una experiencia vivida, sino que también puede inventar una experiencia que el autor nunca haya tenido y desarrollarla como si la hubiera vivido o estuviera viviéndola» (Alexander A. Parker, *La filosofía del amor en la literatura española, 1480-1680,* Madrid, Cátedra, 1986, pág. 22).

[28] Otis H. Green, *España y la tradición occidental* (4 vols.), Madrid, Gredos, 1962. Cfr. también Parker, *op. cit.*

quista el yo poético es el del amante arquetípico, es decir, el poeta asume la persona lírica del enamorado universal»[29]. Sólo en cuatro sonetos esa persona narrativa es la del varón. Al identificar el yo poético con el autor, SJ seguía fielmente la tradición, pero, al mismo tiempo, introducía un elemento distorsionador ya que se trataba de un «yo póetico» femenino. La tradición poética se había configurado desde un punto de vista masculino, de tal manera que el poeta, en cuanto varón, ejercía el papel de amante que se dirigía a su amada. Establecida esta dicotomía, las características de ambos se habían fijado también: el amante (el poeta) idealizaba a la amada y suspiraba por su amor, pero la amada se mostraba distante, cuando no cruel, lo que motivaba en el amante las conocidas penas de amor. Los sonetos que SJ pone en boca de varón siguen la tradición, pero en el resto de sus poemas amorosos los papeles aparecen trastocados: ahora resulta que el poeta es la amada, y el amante pasa a convertirse en el objeto poético. La cuestión debió planteársele a SJ en los siguientes términos: adoptar la voz masculina, además de artificioso, suponía renunciar al «yo poético» de la tradición, pero, al convertir el «yo poético» en femenino, se enfrentaba a nuevos problemas. Una solución maximalista podía orientarse en dos sentidos contrarios: o adoptaba el papel de la amada (lo que limitaba extraordinariamente su capacidad de expresión) o masculinizaba ese papel, de manera que la amada se convertiese en el amante y, en correspondencia, el amante en «amado», lo cual forzaba en extremo la tradición poética. La solución que adopta SJ es intermedia, caracterizada por una cierta complejidad como casi todo en su obra. Ella no puede renunciar, por principios personales, a representar la voz femenina, pero no acepta limitarse a desempeñar el pequeño papel que la tradición había asignado a la mujer en las relaciones amorosas. La mujer deja de ser en la poesía de SJ el elemento pasivo de la relación amorosa; recupera algo que el hombre le había usurpado:

---

[29] Alicia de Colombí-Monguió, *Petrarquismo peruano: Diego Dávalos y Figueroa y la poesía de la Miscelánea austral*, Londres, Tamesis Books, 1985, pág. 152.

la capacidad de expresar la variada gama de situaciones amorosas.

Los poemas amorosos de SJ no presentan diferencias sustanciales entre sí. La triple división, mencionada antes, responde a criterios temáticos, sin que, en mi opinión, uno de los grupos poemáticos sea artísticamente superior a los otros. Señalo esto porque generalmente los poemas preferidos por el lector son los de índole personal (Paz dice que los poemas de teoría o casuística amorosa son «apenas una curiosidad»), lo que refleja más nuestros gustos actuales que una visión objetiva del conjunto de su poesía amorosa.

Los que he denominado poemas de «amistad» (Sabat de Rivers [1982] los llama «cortesanos») ensalzan a su amiga y protectora, la marquesa de la Laguna, la Lisi de sus versos. He seleccionado cuatro poemas (28 al 31) en los que se fusionan las tipologías de «homenaje» y de «amor». SJ se dirige a Lisi utilizando la retórica del amante que canta a su amada. Quien intuya una relación lésbica se equivoca totalmente. SJ se limita a utilizar una estructura tradicional. A pesar de no ser necesario, al anónimo autor de los títulos de sus poemas se le ocurrió aclarar que se trataba de «Puro amor, que ausente y sin deseo de indecencias, puede sentir lo que el más profano» (núm. 30). Son poemas de carácter neoplatónico, donde el amor es despojado de toda vinculación sexual para afirmarse en una hermandad de las almas a nivel espiritual. En el 30 SJ señala que «Ser mujer, ni estar ausente, / no es de amarte impedimento, / pues sabes tú que las almas / distancia ignoran y sexo», afirmaciones que entroncan directamente con la filosofía platónica sobre el amor (eliminación de la faceta sexual del amor y unión espiritual de almas gemelas que, partiendo de la belleza material, ascienden progresivamente hasta Dios, considerado como belleza absoluta)[30]. Pero si, por

---

[30] Parker señala que «Platón excluía a las mujeres del verdadero amor, pues ya que no se las creía enteramente racionales, no podía darse el caso de que un hombre mantuviera una amistad intelectual con una mujer. El verda-

una parte, SJ fundamenta su amor hacia Lisi en las ideas platónicas, por otra, la idealización de la mujer que el neoplatonismo toma del amor cortés medieval se hace presente en estos cuatro poemas en un continuado canto a la belleza física de la marquesa[31] (así en el núm. 28, «pues desde el dichoso día / que vuestra belleza vi, / tan del todo me rendí»). Belleza a la que no quiere renunciar SJ (con más complacencia en el *fin' amors* caballeresco y cortesano que en el propio neoplatonismo) y que culmina en la conocida «religión del amor»: «Yo, pues, mi adorada Filis, / que tu deidad reverencio», o «¿Puedo yo dejar de amarte / si tan divina te advierto?» (núm. 30).

En los otros dos grupos de poemas amorosos, SJ analizará una extensa serie de situaciones amorosas, centrándose, en el caso de los más personales, en los típicos lamentos y quejas, ante la ausencia del amado; temas presentes en la tradición del amor cortés, en la poesía petrarquista y, también, en la corriente neoplatónica. Así, en el 7 y en el 8, SJ adopta uno de los tópicos de este tipo de poesía: es la amada desdeñosa y dura ante el amante, que muestra, una vez más, su aborrecimiento a Silvio. En el 9 ya no es Silvio, sino Celio, el objeto de su aborrecimiento, al que, en su desdén, ni siquiera quiere que su memoria lo tenga presente. Sin embargo SJ, razonadora siempre, se da cuenta de que ese olvido no ha sido total, ya que le ha mencionado, y entonces imagina una respuesta de Celio en el poema 10, en el que éste responde a Clori que su olvido no ha sido total ya que ha permanecido en su memoria. Como se puede apreciar son juegos dialécticos sobre temas amorosos, exposiciones de ingeniosidades razonadoras, carentes de apasionamiento amoroso.

Los poemas 14 al 19 son representativos por su extensión de las teorías amorosas que confronta SJ. Respondiendo (en el 14) a un poema de Pérez de Montoro, SJ tra-

---

dero amor presuponía la amistad entre hombres... en un esfuerzo no sensual encaminado al conocimiento trascendental» (*op. cit.,* pág. 62).

[31] Tres de los poemas se basan en la descripción de retratos pintados de la marquesa. Véase sobre el tema del retrato, Sabat de Rivers (1986).

ta uno de sus temas favoritos, el de los celos; favorito porque, para un espíritu tan racionalista como el suyo, debía resultar interesante adentrarse en el análisis de la pasión amorosa. SJ defiende la postura tradicional de que los celos son expresión inherente al amor, frente al planteamiento de Montoro que defendía que el amor perfecto está libre de celos. La postura de SJ se basa en un análisis puramente racional: ¿Cómo —se pregunta— puede probarse mejor la existencia del amor que mediante los celos que, en su propia locura, son incapaces de fingir aquello que no sienten? («como están sin sentido / publican lo más secreto»). Los celos son, pues, una prueba de amor que, a pesar de su extremosidad e inconsistencia, el amado ha de ver como un mérito, ya que son fruto no del entendimiento sino de la pasión. La confrontación entre la pasión y la razón ocupa buena parte de sus poemas. No siempre defenderá que la «elección» amorosa debe supeditarse a la razón y entenderá que la pasión, como muestra del sentimiento, no debe ser rechazada. En este aspecto se acerca más al neoestoicismo barroco que al neoplatonismo renacentista, si bien neoplatónicos como León Hebreo o Castiglione ya habían expresado lo difícil que era someter el amor a los solos dictados de la razón. La dualidad de estas contrarias sensaciones que sufre el amante las presenta en el poema 19: «Si acaso me contradigo / en este confuso error, / aquel que tuviera amor / entenderá lo que digo.» En el poema 18 llega a manifestar que poco puede hacer la razón si la voluntad se rinde al amor y en el 16 lo ejemplifica. En este poema representa, una vez más, las figuras del amado y del aborrecido (o no amado, en este caso) en Fabio y Silvio. Se imagina SJ una conflictiva situación: el medio social parece que ha decidido por la amante que debe amar a Silvio, pero ella ama a Fabio. ¿Qué hacer? Más que solucionar este caso hipotético, SJ concluye que el amor no tiene por qué ser correspondido y que ella no puede sustraerse a los efectos del deseo amoroso. Sin embargo, en los poemas 15 y 17 defiende, no de manera absolutamente contradictoria, que la razón debe imponerse a la pasión. En este aspecto SJ está más cerca de la posición de Bembo, en su *Gli Asolani,* que de otros neoplatónicos: el carácter espiritual del amor favorece a la razón ya que se elimina el aspecto sensual del amor, con lo que desaparecen los sufrimientos amorosos. En los dos poemas SJ justifica la elección racional del amor, frente a la pasión, en el criterio del «libre albedrío», ya que el hombre dominado por la pasión no es libre para decidir[32].

Los poemas amorosos de tono íntimo que se seleccionan están comprendidos entre el 20 y el 27. En algunos, como el 20 y 21, las resonancias quevedescas son claras. En todos los casos se trata de poemas en que la amante lamenta y llora la ausencia del amado, tema fundamental de la poesía amorosa desde el nacimiento del amor cortés hasta el final del Barroco. Se trata de un tópico pero, al mismo tiempo, es reflejo de una determinada concepción de la vida. No puede olvidarse, por ejemplo, el paralelismo que ofrece la poesía amorosa de los siglos XVI y XVII con la religión (identificación alma-amante y Dios-amado, y adecuación de la imaginería amatoria a la mística). También el pensamiento crítico que se desarrolla en el siglo XVII podía encontrar en estos lamentos una forma de exteriorizar las limitaciones del ser humano (en SJ el conocido «desengaño barroco» apenas si tuvo incidencia). Por último, sin necesidad de buscar explicaciones en la época, cabe decir que este tipo de poesía refleja sentimientos humanos universales en el espacio y en el tiempo. De ahí, nuestra cercanía a los mismos. Si a ello unimos que en estos poemas se reúnen algunas de las imágenes poéticas más

---

[32] Fray Luis de Granada señala: «Si toda la dignidad del hombre, en cuanto hombre, consiste en dos cosas, que son razón y libre albedrío, ¿qué cosa más contraria a lo uno y a lo otro que la pasión, que ciega la razón y lleva tras sí el libre albedrío?» Cit. por O. Green, *op. cit.,* t. II, pág. 193. Comenta también O. Green, sobre el tema del libre albedrío y de la influencia de los astros (tema muy tratado por SJ; la pasión se relacionaba con esta influencia): «(Se creía en el siglo XVII que) los astros influyen en el cuerpo, no en el alma; inclinan la voluntad, pero sin forzarla; son los agentes de la Providencia divina; los decretos y disposiciones de Dios son infalibles e irresistibles, menos en los dominios de las acciones humanas, en donde Dios «permite» que el hombre frustre sus disposiciones divinas y que el pecador pueda desafiar con su libre albedrío su voluntad soberana». *Ibíd.,* pág. 241.

felices de SJ, no debe extrañar que hayan gozado de una especial preferencia entre los lectores[33].

Poemas de circunstancias; jocosos y satíricos; religiosos

Los poemas de circunstancias comprenden la mitad de la obra poética de SJ. Alrededor de cincuenta los dedicó a elogiar a sus protectores, los marqueses de la Laguna. Se trata de una manifestación cortesana típica del Barroco. Podían ser de encargo (caso de la «Explicación del Arco») o surgir a iniciativa del propio poeta, pero sus características eran las mismas. Son poemas de «homenaje», en los que se celebran nacimientos, bautizos, cumpleaños, etc., surgidos al amparo de una ocasión, como podía ser un encuentro o una visita, o simplemente «festivos», donde los asuntos más triviales se poetizaban. Nos engañaríamos, sin embargo, si la inconsistencia temática de los mismos nos llevase a pensar que estos poemas carecen de interés literario. Todos los poetas barrocos (y también los renacentistas) los escribieron con profusión: en definitiva, este tipo de poesía es reflejo fiel de una época y de una estética. En ellos, el poeta adquiere la verdadera dimensión social que tenía en una sociedad cuyo centro era la corte. Como en un eco del régimen feudal, el poeta se debe a su mecenas. Hoy nos puede parecer una falta de dignidad cuando los escritores de la época elogiaban de manera tan desmesurada a sus protectores. Pero no se trataba sólo del vasallaje de los poetas. Era la actitud de toda una sociedad, regida por dos pilares bien consolidados: la Iglesia y la Corte.

Además, hay una justificación estética: una sociedad elitista que, desvinculada de la problemática de la realidad, concebía la vida de una forma festiva. El arte, en todas sus manifestaciones, se hace cada vez más artificial, más orna-

---

[33] El orden en que se sitúan en esta antología puede sugerir un desarrollo temporal afín a una experiencia personal. Nada más incierto, ya que desconocemos las fechas en que se escribieron. Dicha ordenación responde solamente a una caracterización temática.

mental. Así, el deslumbrar a los demás con ingeniosidades poéticas se convierte en una forma de aceptación social; los certámenes poéticos y las academias literarias proliferan en el Barroco y son buena muestra de esta actitud. Con ello, el Barroco presenta una de sus facetas más características: una poesía que, renunciando a cualquier mensaje, adquiere una belleza formal que hoy sigue asombrándonos.

¿Qué interés tienen para el lector actual estos poemas de SJ, en los que repetidamente se elogia a los virreyes en situaciones intrascendentes? Es evidente que desde el punto de vista del contenido carecen de interés, pero lo mismo podríamos decir de uno de los más bellos sonetos de Góngora cuyo tema es el de una dama que se pinchó en un dedo con un alfiler. La valoración de estos poemas ha de hacerse desde una perspectiva exclusivamente estética. En ellos SJ utiliza los más variados recursos de la poesía barroca: la imagen sorprendente, el cultismo léxico, la siempre presente alusión mitológica, los recursos sintácticos aprendidos de Góngora y el juego de los conceptos. La siguiente cita es aplicable a SJ: «la marcada tendencia a las dualidades, pluralidades y bimembraciones en un poeta de esta época no nos dice nada de su espíritu, de lo que sí nos habla es del rigor de un paradigma estilístico que penetró hasta la médula misma de una sociedad, transformándose en el medio de comunicación poético por excelencia»[34]. Además de utilizar estos recursos comunes en los poetas barrocos de una manera excepcional[35], SJ suele añadir referencias personales, creando un tono de familiaridad que sirve de contrapunto a los desmesurados elogios que prodiga a sus homenajeados. Es éste, sin duda, uno de sus mejores aciertos poéticos.

---

[34] A. Colombí-Monguió, *op. cit.,* pág. 169.

[35] Tratar de explicar estos recursos excede de los límites de una «introducción». Me referiré, no obstante, a una estructura que utiliza en bastantes poemas: basándose en los dictámenes de la oratoria clásica divide el poema en cuatro partes: 1.ª) *captatio benevolentiae;* 2.ª) narración del motivo o tema del poema; 3.ª) argumentos y pruebas que justifican el tema; 4.ª) epílogo o despedida. Véase, por ejemplo, dicha estructura en el poema núm. 35: 1.ª) vv. 1-24; 2.ª) vv. 25-52; 3.ª) vv. 53-108; 4.ª) vv. 109-128.

La poesía de circunstancias seleccionada abarca desde el poema 32 al 54.

También escribió SJ poesía satírica y burlesca. Se igualaba, así, al resto de los poetas barrocos en el dominio de los más variados temas poéticos que la tradición había terminado imponiendo. Al mismo tiempo, SJ daba salida a un íntimo humorismo y a su concepción vitalista de la existencia. Los registros que emplea son muy variados. En el poema 55 se burla de las descripciones que de las damas hacían los poetas culteranos, sin renunciar, claro está, a expresarse culteranamente. Este burlarse de sí mismo no es algo nuevo en la poesía barroca: ahí están, para demostrarlo, la larga serie de poemas burlesco-mitológicos. Otros poemas de SJ también participan de un humorismo que se fusiona con el carácter «festivo» de la composición (el 62 y el 63). Su sátira a los «hombres necios» (núm. 56) es el poema más famoso de SJ. Tal como señala Paz, «el poema fue una ruptura histórica y un comienzo: por primera vez en la historia de nuestra literatura una mujer habla en nombre propio, defiende a su sexo y, gracias a su inteligencia, usando las mismas armas de sus detractores, acusa a los hombres por los vicios que ellos achacan a las mujeres. En esto Sor Juana se adelanta a su tiempo: no hay nada parecido, en el siglo XVII, en la literatura femenina de Francia, Italia e Inglaterra» (págs. 399-400). El poema, que da la vuelta al tópico tema de las sátiras contra las mujeres, es fiel reflejo de la defensa femenina que caracteriza el pensamiento de SJ. Por último, se seleccionan un soneto (núm. 57) y unos epigramas (núms. 58-61) donde la sátira se hace cruel y difamante: extraña actitud en una monja, por más que estos temas formasen parte de la tradición poética de su época.

Sobre los poemas religiosos de SJ no hay mucho que decir. En el marco de su obra lírica sólo escribió dieciséis, número, a todas luces, exiguo. Lo cierto es que la tradición lírica del barroco estaba orientada hacia los temas profanos y lo religioso encontraba su lugar en otras manifestaciones textuales. No deja de sorprender, sin embargo, que, siendo monja, se sintiese tan poco inspirada por los temas religiosos[36]. La mayoría de estos poemas son de ocasión y carecen de interés (no obstante, selecciono dos: el 64 y el 65). Sin embargo, hay tres (66 al 68), éstos sí, verdaderamente bellos. En ellos, SJ, al modo místico, plantea la relación del alma con Dios en los términos de la poesía amorosa. La idea de que el amor que el alma dirige hacia Dios no pide correspondencia es la dominante (véase el comentario al respecto que hace Paz, págs. 386-390).

Poemas filosófico-morales. El «Sueño»

SJ escribió muy pocos poemas del tipo filosófico-moral: trece sonetos, un romance, dos glosas en décimas y otra en quintillas[37]. A pesar de su escasez este grupo de poemas es de gran importancia, ya que estos sonetos han de considerarse entre lo mejor del conjunto de su poesía. Expresión característica de la ideología barroca, en este tipo de poesía se plantean problemas existenciales con una manifiesta intención aleccionadora. Los temas son bien conocidos y forman parte del «desengaño» barroco. SJ tratará del *carpe diem*, defenderá la hermosura del entendimiento frente a la vanidad de la belleza física, y pondrá de manifiesto las limitaciones intelectuales del hombre (el núm. 75). Los sonetos 76 al 79 añaden la cualidad de ser poemas histórico-mitológicos: inspirados en la historia romana, ejemplifican la virtud y voluntad femeninas.

El Sueño[38] es el poema más importante de SJ, a juzgar por

---

[36] Hay que señalar, no obstante, que el tema religioso fue tratado ampliamente por SJ al margen de la lírica: ahí están para demostrarlo sus numerosos villancicos y los autos sacramentales.

[37] Otra cuestión es que en bastantes poemas suyos aparezcan rasgos de este tipo de poesía.

[38] Cuando apareció editado, en 1692, el poema se titula «Primero sueño». Como los títulos no son de SJ cabe dudar del acierto del mismo. En la *Respuesta* ella se refirió simplemente al «Sueño». Probablemente, dado que en el título se dice que es una imitación de Góngora, haya una implícita referencia a las dos *Soledades* gongorinas. De todos modos, el tema del *Sueño* es cerrado y no admite continuaciones. Otra cuestión sería que bajo el mismo esquema se desarrollasen nuevos temas. De ahí, mi preferencia por la denominación de *Sueño*, que presenta SJ.

los juicios casi unánimes de los críticos. Es el más largo que escribió (975 versos) y ella misma confesó en su *Respuesta* no «haber escrito por mi gusto, sino un papelillo que llaman "El Sueño"». Desconocemos la fecha de composición, pero los grandes conocimientos que demuestra, y la propia complejidad del poema, indican que debió de ser una obra de su última etapa. Aunque no fuera así, lo ambicioso del proyecto aparece ante nuestros ojos como la culminación de toda su obra. Un poema, en definitiva, digno de ser el brillante colofón de tan insigne poetisa.

El tema del poema es sencillo aunque expuesto con gran complejidad. De hecho, el lector actual no podrá entenderlo sin la compañía de severas anotaciones. Se trata de describir si el hombre es capaz, mediante su inteligencia, de comprender la realidad. El ansia de conocimientos no tiene límites y la aspiración última radica en la comprensión de los misterios que rigen el Universo. Difícil empresa en el siglo XVII, cuando en la actualidad apenas si encontramos respuesta a tantos interrogantes. SJ busca en su poema una solución de carácter inductivo: se imagina al alma (al intelecto) en la cumbre de una montaña desde la que domina toda la realidad, pero la visión conjunta del prodigio de la creación hace que todo parezca confuso. Renunciando a esta vía, el alma decide progresar en sus conocimientos de manera deductiva, analizando la realidad en sus particularidades y avanzando progresivamente desde el mundo inanimado al vegetativo, hasta llegar al hombre. El análisis tampoco es satisfactorio, pues se da cuenta de que es incapaz de descifrar los misterios de las realidades más sencillas. A pesar de este fracaso —la constatación de las limitaciones del intelecto— cree que no se debe renunciar al intento y que el propio esfuerzo realizado justifica esta búsqueda intelectual.

La originalidad del poema radica en la dilatada extensión de un tema filosófico-científico. Tiene razón Paz cuando señala que se trata de un caso único. Verdadera osadía fue la de SJ al convertir en poesía una materia tan abstracta y, por qué no decirlo, tan árida, alcanzando unos resultados literarios que sólo los grandes poetas pueden lograr.

Para transformar en poesía dicha temática acudió a dos recursos: 1.º) Imaginó que el alma abandonaba el cuerpo, porque quería manifestar que su búsqueda era puramente intelectual. El recurso no era nada sorprendente porque partía del pensamiento platónico (el cuerpo como cárcel del alma) y respondía también a los planteamientos cristianos. 2.º) Como marco para este desprendimiento del alma acudió a la tradición literaria del sueño, en la que el cuerpo, al quedar en un estado vegetativo, permite liberarse al alma de sus cadenas. El recurso del sueño gozaba de una larga tradición literaria, pero en ninguno de los ejemplos a los que podamos acudir encontraremos que se utilice para expresar un tema como el de SJ. Ahí radica una de sus originalidades. Las posibles fuentes literarias a las que pudo acudir SJ para su imagen del sueño han sido ampliamente estudiadas por la crítica. Es fundamental el libro de Sabat de Rivers (1977) donde se alude al *Somnium Scipionis* de Cicerón, al *Hercules furens* de Séneca, al *Somnus* de Estacio (entre las fuentes clásicas) y al indudable paralelismo del poema «Pintura de la noche desde un crepúsculo a otro» de Francisco de Trillo y Figueroa. Por su parte, Emilio Carilla mencionó el *Itinerario de la mente hacia Dios* de San Buenaventura, y Paz habla de la influencia de Atanasio Kircher y su *Iter exstaticum,* en el marco de la literatura hermética[39].

Pero estos recursos no eran más que el comienzo de su ingente labor creadora: había que dotar al poema de una estructura y darle una formulación estética. SJ no dividió su poema en partes, pero éstas son evidentes[40]. El poema comienza con la llegada de la noche a cuyo amparo toda la naturaleza duerme (vv. 1-191): entre el 1 y el 79 hacen su

---

[39] SJ cita en el *Sueño* la «lámpara mágica» de Kircher, contemporáneo de la autora. Es seguro que también estuvo influenciada por otra de sus obras, el *Oedipus Aegyptiacus,* y es fácil que conociera los tratados del *Corpus hermeticum,* traducidos por Ficcino. Sobre estos temas véase la obra de Paz que alude a ellos en diversos lugares. Sobre la tradición hermética, véase la obra de D. A. Yates, *Giordano Bruno y la tradición hermética* (Barcelona, Ariel, 1983).

[40] Méndez Plancarte señala doce; Chávez, seis; Gaos, cinco; O. Paz, Sabat de Rivers y Ricard, tres; Vossler lo considera como un todo continuo.

aparición la noche y sus aves; del 80 al 150 se describe la quietud de la naturaleza y el sueño de los animales; entre el 151 y el 191 se presenta el sueño del hombre. Viene luego la descripción de las funciones fisiológicas del ser humano que conducen al sopor del cuerpo, centrándose en el corazón, los pulmones y el estómago (vv. 192-265). En los versos siguientes (vv. 266-559) se describe el fracaso del alma al intentar una intuición universal (el alma se imagina en la cumbre de una altísima montaña —vv. 309-339—, mucho más elevada que las famosas pirámides de Egipto —vv. 340-411). Ante el fracaso, el alma acude al método deductivo (vv. 560-826). En esta parte se va aludiendo, sucesivamente, al conocimiento de los minerales y vegetales (vv. 617-638), del reino animal (vv. 639-651) y del hombre (vv. 652-703). Se termina por reconocer la escasa capacidad humana para comprender la creación (vv. 704-780), pero se mantiene el deseo, a pesar de todo, de no renunciar al conocimiento (vv. 781-826). La parte final está ocupada por el despertar y el triunfo del día: el despertar de los sentidos (vv. 827-886) y el triunfo del Sol sobre la Noche (vv. 887-975).

Se necesitaba, ciertamente, una estructura tan compacta como ésta para explicar un tema tan abstracto. Pero para darle vida a un tema el poeta sólo dispone del recurso idiomático: había que añadirle una estética. Más aún que en la «Explicación del Arco» y de igual modo que en el «Epinicio gratulatorio al conde de Galve», SJ adopta con todas las consecuencias la estética gongorina. Es en esta cuestión donde buena parte de la crítica tiende a aminorar la influencia de Góngora, buscando el valor del poema, bien en la innovación temática, bien en el acierto conceptual del mismo. Mi opinión es que la alta calidad poética del *Sueño* depende casi exclusivamente de su propia realidad lingüística. La valoración del *Polifemo* o las *Soledades* de Góngora es paralela a la del *Sueño:* utilizar el mismo método creo que es lo más conveniente[41]. Comentarios como el

---

[41] Perelmuter, analizando el hipérbaton, lo ha hecho en el *Sueño.* La aplicación del método de Dámaso Alonso y Buxó creo que es la más correcta.

de R. Xirau son frecuentes: «Pero este poema gongorino acaba por no tener casi nada que ver con Góngora. Lo que en Góngora fue imagen es aquí imagen-concepto; lo que en Góngora fue estructura fantástica es aquí pensamiento; lo que en Góngora fue metáfora se convierte aquí en paradoja de la razón» (pág. 86). Del mismo modo, Paz alude a que «el lenguaje de Góngora es estético, el de Sor Juana intelectual» y a que «las diferencias son mayores y más profundas que las semejanzas» (pág. 470). En estas citas sigue presente el viejo resabio antigongorista. Resultaría que SJ supera a Góngora gracias a que se aleja de sus características más definitorias. Pero, ¿acaso no fue la propia SJ la que decidió arropar el *Sueño* con la imaginativa belleza del gongorismo? Un crítico comenta: «cubierto por numerosa yedra mitológica, el corazón del gran poema continúa intacto, preservando su insondable secreto»[42]. Pero, ¿qué secreto? Porque, lo mismo que señalaba Dámaso Alonso del *Polifemo,* el *Sueño* es un poema «clarísimo», una vez que el lector consigue desentrañar las alusiones mitológicas, dominar el vocabulario, acostumbrarse al hipérbaton y darse cuenta de que la intensificación y exageración de los recursos poéticos es el norte que guía a su autora. El acierto de SJ estuvo en convertir en poesía un tema que, por su carácter científico, resultaba esencialmente contrario a la lírica, no porque las ideas que presentaba tuviesen novedad. De hecho, SJ fue absolutamente conservadora en materia científica y filosófica: su concepción astronómica es la de Tolomeo; sus conocimientos de fisiología humana, los tradicionales; su visión de las facultades humanas, tomistas; el conjunto de su filosofía, escolástica[43]. Temáticamente lo

---

Cfr. Dámaso Alonso, *La lengua poética de Góngora* (Madrid, 1935), y José Pascual Buxó, *Góngora en la poesía novohispana* (México, 1960).

[42] Raúl Leiva, *op. cit.,* pág. 44.

[43] Un claro ejemplo: con motivo de la famosa polémica que enfrentó al padre Kino y a Carlos de Sigüenza y Góngora sobre los cometas, SJ dedica un soneto elogiando al padre Kino que defendía la tradicional idea de los malos presagios que acompañaban la aparición de estos cuerpos astrales, frente a la posición científica de Sigüenza. No puedo compartir la afirmación de Paz de que «es imposible confundir el mundo de *Primero Sueño* con el de la cosmografía tradicional» (pág. 502).

importante no son estos asuntos sino la posición que se mantiene a lo largo de todo el poema en defensa de la intelectualidad, porque como muy bien observó Raquel Asún, en el *Sueño* «no hay ayuda divina: sólo inteligencia» (página LXIX). Teniendo siempre presente esta idea motriz, probar, sin embargo, que la falta de densidad temática es paralela a la abundancia de imágenes poéticas es fácil. Pondré un ejemplo:

Cuando se describe el intento del alma por llegar a una intuición universal, la narración avanza del siguiente modo:

> «En cuya casi elevación inmensa» (v. 435) (se refiere a la altísima montaña imaginada), «la vista perspicaz» (v. 440) «de sus intelectuales bellos ojos» (v. 441) «libre tendió por todo lo criado» (v. 445), «cuyo inmenso agregado» (v. 446), «retrocedió cobarde» (v. 453). «Tanto no, del osado presupuesto» (v. 454), «revocó la intención, arrepentida» (v. 455), «y por mirarlo todo, nada vía» (v. 480) «ni descernir podía» (v. 481); «das partes, ya no sólo, / que al universo todo considera / serle perfeccionantes, / a su ornato, no más, pertenecientes, / mas ni aún las que integrantes / miembros son de su cuerpo dilatado, / proporcionadamente competentes» (vv. 488-494). «Mas como al que ha usurpado / diuturna obscuridad» (vv. 495-96), «no de otra suerte el Alma» (v. 540), «la atención recogió» (v. 542).

De los 107 versos de que consta este pasaje, sólo 21 se utilizan para exponer el tema. El resto son amplificaciones y, sobre todo, digresiones. La *digresión* es el método seguido en todo el poema: la más importante, por su longitud, la de las pirámides (vv. 340-411), pero son continuas; así, la comparación de las pirámides con la torre de Babel (vv. 414-422) o el comentario sobre las cualidades contrarias que actúan al modo de las medicinas (vv. 500-539). Como para Góngora, para SJ lo importante es la imagen (casi 200 versos para describir la llegada de la noche y del sueño); su novedad, conseguir describir con imágenes visuales conceptos filosóficos y realidades científicas.

Esta edición

Para fijar el texto de los poemas me he basado en las ediciones antiguas de las obras de Sor Juana: *Inundación castálida...* (Madrid, 1689), *Segundo volumen...* (Sevilla, 1692) y *Fama, y obras póstumas...* (Barcelona, 1701). Los ejemplares, que me fueron facilitados en microfilm, pertenecen a la Biblioteca Nacional de Madrid (ed. 1692, signatura R-19.244) y a la Biblioteca de la Facultad de Filología de la Universidad Complutense (ed. 1689, signatura 29.243; ed. 1701, signatura 29.245). También he cotejado la edición del *Segundo tomo...* de 1693, publicada en Barcelona (Facultad de Filología de la Universidad Complutense, signatura 29.244) poco fiable ya que a las erratas añade cambios introducidos por los editores[44].

Del cotejo de estas ediciones antiguas con las modernas de Méndez Plancarte y Sabat de Rivers (en el caso de la *Inundación castálida*) se aprecia que Méndez Plancarte introdujo variantes cuando apreció erratas o, simplemente, si el

---

[44] En el fichero del Fondo Antiguo de la Biblioteca de la Facultad de Filología de la Universidad Complutense figuraba (digo «figuraba» porque me consta que el error se ha subsanado) un ejemplar de la edición de Sevilla de 1692, con la signatura 19.278 (así aparece en la *Bibliografía de la Literatura Hispánica* de José Simón Díaz). En realidad el ejemplar se corresponde con la edición de Barcelona de 1693, cuya portada y preliminares (la «Censura del Rmo. P. Maestro Juan Navarro Vélez», págs. 3-8) han sido sustituidos por la portada y preliminares (52 hs.) de la edición sevillana de 1692, cosidos y pegados a la edición de 1693, aunque a primera vista ya se aprecia la diferencia de tamaño (0,5 cm menos la ed. de 1692).

texto resultaba confuso. Al igual que Sabat de Rivers, he preferido respetar el texto antiguo, aceptando sólo las erratas evidentes.

Basándome en Méndez Plancarte y Sabat de Rivers, he modernizado la puntuación y ortografía del texto. Es este un criterio generalizado hoy día en las ediciones de textos del siglo XVI y XVII que presenta numerosas ventajas para el lector y apenas inconvenientes. No obstante, respeto la ortografía antigua cuando los cambios afectan a la rima o se trata de variantes morfológicas características de la época.

La ordenación de los poemas sigue un criterio temático, frente al utilizado por Méndez Plancarte, basado en la métrica, y que ha sido seguido en la mayoría de las antologías de Sor Juana. Es evidente que la ordenación temática facilita la lectura y la dificultad para situar ciertos poemas resulta un factor secundario.

Mi agradecimiento a cuantos me han ayudado en esta edición. A mi esposa, por la revisión de la redacción del texto; a María Teresa Llamazares, por el trabajo mecanográfico; a Mercedes Cabello, bibliotecaria del Fondo Antiguo de la Facultad de Filología de la Universidad Complutense, por las atenciones y facilidades ofrecidas en la consulta de las ediciones antiguas de SJ; y a Georgina Sabat de Rivers, por el envío de artículos críticos de difícil acceso.

Bibliografía

EDICIONES MODERNAS DE LA OBRA DE SOR JUANA

Obras completas

MÉNDEZ PLANCARTE, Alfonso, *Obras completas de Sor Juana Inés de la Cruz,* 4 tomos (el último a cargo de Alberto G. Salceda), México, F.C.E., 1951, 1952, 1955 y 1957.

Antologías

MERLO, Juan Carlos, *Sor Juana Inés de la Cruz. Obras escogidas,* Barcelona, Bruguera, 1968.

SABAT DE RIVERS, Georgina, y Elías RIVERS, *Sor Juana Inés de la Cruz. Obras selectas,* Barcelona, Noguer, 1976.

ORTEGA GALINDO, Luis, *Sor Juana Inés de la Cruz. Selección,* Madrid, Editora Nacional, 1978.

SABAT DE RIVERS, Georgina, *Sor Juana Inés de la Cruz. Inundación castálida,* Madrid, Castalia, 1982.

ASÚN, Raquel, *Sor Juana Inés de la Cruz. Lírica,* Barcelona, Bruguera, 1982.

SAINZ DE MEDRANO, Luis, *Sor Juana Inés de la Cruz. Obra selecta,* Barcelona, Planeta, 1987.

Alatorre, Antonio, «La *Carta* de Sor Juana al P. Núñez», *Nueva Revista de Filología Hispánica,* t. XXXV, núm. 2 (1987), páginas 591-673.

Bellini, Giuseppe, *L'opera letteraria di Sor Juana Inés de la Cruz,* Milán, Cisalpino, 1964.

— *Sor Juana e i suoi problemi,* Milán, Cisalpino, 1989.

Benassy-Berling, Marie-Cécile, *Humanisme et religion chez sor Juana Inés de la Cruz. La femme et la culture au XVII siècle,* París, Éditions Hispaniques, 1982 (hay trad. al español, México, UNAM, 1983).

Blanco Aguinaga, Carlos, «Dos sonetos del siglo XVII: amor-locura en Quevedo y sor Juana», *Modern Language Notes,* 77 (1962), págs. 145-162.

Buxó, José Pascual, «Lectura barroca de la poesía (el otro sueño de Sor Juana Inés de la Cruz)», en *Imago Hispaniae. Homenaje a Manuel Criado del Val,* Kassel, Edition Reichenberger, 1989, páginas 551-572.

Carilla, Emilio, «Sor Juana: ciencia y poesía (Sobre el *Primero sueño)»*, *Revista de Filología Española,* 36 (1952), págs. 287-307.

Cervantes, Enrique, *Testamento de Sor Juana Inés de la Cruz y otros documentos,* México, 1949.

Chávez, Ezequiel A., *Sor Juana Inés de la Cruz. Ensayo de psicología...* [1931], México, Porrúa, 1981.

Durán, Manuel, «El drama intelectual de Sor Juana y el anti-intelectualismo hispánico», *Cuadernos Americanos,* XXII (1963), págs. 238-253.

Gaos, José, «El sueño de un sueño», *Historia Mexicana,* 10 (1960-1961), págs. 54-71.

Herrera, Tarsicio Z., *Buena fe y humanismo en Sor Juana,* México, Porrúa, 1984.

Maza, Francisco de la, *Sor Juana Inés de la Cruz ante la Historia,* México, UNAM, 1980.

Navarro Tomás, Tomás, «Los versos de sor Juana» [1953], en *Los poetas en sus versos, desde Jorge Manrique a García Lorca,* Barcelona, Ariel, 1973, págs. 163-179.

PAZ, Octavio, *Sor Juana Inés de la Cruz o Las trampas de la fe,* Barcelona, Seix Barral, 1982.

PERELMUTER PÉREZ, Rosa, *Noche intelectual: la oscuridad idiomática en el «Primero sueño»,* México, UNAM, 1982.

PFANDL, Ludwing, *Sor Juana Inés de la Cruz. La décima musa de México: Su vida, su poesía, su psique* [1946], México, UNAM, 1983.

PUCCINI, Dario, *Sor Juana Inés de la Cruz: Studio d'una personalità del Barocco messicano,* Roma, Edizioni dell'Ateneo, 1967.

RICARD, Robert, *Une poétesse mexicaine du XVII siècle. Sor Juana Inés de la Cruz,* París, Centre de Documentation Universitaire, 1954.

RIVERS, Elías L., «El ambiguo *Sueño* de Sor Juana», *Cuadernos Hispanoamericanos,* LXIII, 189 (1965), págs. 271-282.

SABAT DE RIVERS, Georgina, *El «Sueño» de sor Juana Inés de la Cruz: tradiciones literarias y originalidad,* Londres, Támesis, 1977.

— «Introducción» (ver sección *antologías*), 1982, págs. 9-71.

— «Sor Juana Inés de la Cruz», en *Historia de la literatura hispanoamericana* (coord. por I. Madrigal), t. I, Madrid, Cátedra, 1982, págs. 275-293.

— «Sor Juana: la tradición clásica del retrato poético», en *De la crónica a la nueva narrativa mexicana* (eds. J. Ortega y M. H. Forster), México, Oasis, 1986, págs. 79-93.

SALAZAR MALLÉN, Rubén, *Apuntes para una biografía de sor Juana Inés de la Cruz,* México, UNAM, 1978.

University of Dayton Review, vol. 16, núm. 2 (1983). Número monográfico sobre Sor Juana, coordinado por G. Sabat-Rivers.

URIBE RUEDA, Álvaro, «Sor Juana Inés de la Cruz o la culminación del siglo barroco en las Indias», *Thesaurus,* XLIV (1989), págs. 112-148.

XIRAU, Ramón, *Genio y figura de sor Juana Inés de la Cruz,* Buenos Aires, Eudeba, 1967.

Abreviaturas y siglas

Cast.	*Inundación castálida*
II	*Segundo volumen...*
III	*Fama...*
MP	Méndez Plancarte, A. (ed. *O. C.*)
SR	Sabat de Rivers, G. (ed. *Inundación castálida*)
SJ	Sor Juana
Dic. Aut.	Diccionario de Autoridades
D.R.A.E.	Diccionario de la Real Academia

Poesía lírica

Aquí arriba se ha de Anotar el Día de mi Muerte m
y Año Suplico Por Amor de Diós y de su Puríss.ª M.
a mis Amadas her.s las Religiosas q son y en lo de Ade
lante fueren me encomienden a Diós q e sido y soi la peor
q a auido. a todas Pido Perdon Juana Inés de
Por Amor de Diós y de Mi Yo la peor del Mundo la Cruz

Facsímil de letra y firma de Sor Juana

[1]

PRÓLOGO AL LECTOR

De la misma autora, que lo hizo y envió con la prisa que los traslados,
obedeciendo al superior mandato de su singular patrona, la excelentí-
sima señora condesa de Paredes, por si viesen la luz pública: a que te-
nía tan negados Sor Juana sus versos como lo estaba ella a su custodia,
pues en su poder apenas se halló borrador alguno.

Estos versos, lector mío,
que a tu deleite consagro,
y sólo tienen de buenos
conocer yo que son malos,
   ni disputártelos quiero   5
ni quiero recomendarlos,
porque eso fuera querer
hacer de ellos mucho caso.
   No agradecido te busco:
pues no debes, bien mirado,   10
estimar lo que yo nunca
juzgué que fuera a tus manos.
   En tu libertad te pongo
si quieres censurarlos;
pues de que, al cabo, te estás   15
en ella, estoy muy al cabo.
   No hay cosa más libre que

---

[1] (1690, 1; MP, I, 3.) Apareció en el tomo I de las obras de SJ, pero no en Cast.

el entendimiento humano:
pues lo que Dios no violenta,
¿por qué yo he de violentarlo?   20

Di cuanto quisieres de ellos,
que, cuando más inhumano
me los mordieres, entonces
me quedas más obligado,

pues le debes a mi musa   25
el más sazonado plato,
que es el murmurar, según
un adagio cortesano.

Y siempre te sirvo, pues
o te agrado, o no te agrado: 30
si te agrado, te diviertes;
murmuras, si no te cuadro.

Bien pudiera yo decirte,
por disculpa, que no ha dado
lugar para corregirlos   35
la prisa de los traslados;

que van de diversas letras,
y que algunas, de muchachos,
matan de suerte el sentido
que es cadáver el vocablo;   40

y que, cuando los he hecho,
ha sido en el corto espacio
que ferian al ocio las
precisiones de mi estado;

que tengo poca salud   45
y continuos embarazos,
tales, que aun diciendo esto,
llevo la pluma trotando.

Pero todo eso no sirve,
pues pensarás que me jacto   50
de que quizá fueran buenos
a haberlos hecho despacio;

y no quiero que tal creas,
sino sólo que es el darlos

---

36   *los traslados:* las copias que debía enviar a la condesa de Paredes.

a la luz tan sólo por   55
obedecer un mandato.
    Esto es si gustas creerlo,
que sobre eso no me mato,
pues al cabo harás lo que
se te pusiere en los cascos.   60
    Y adiós, que esto no es más de
darte la muestra del paño:
si no te agrada la pieza,
no desenvuelvas el fardo.

[2]

SONETO

A la excelentísima señora condesa de Paredes, marquesa de la Laguna, enviándole estos papeles que su excelencia la pidió y pudo recoger soror Juana de muchas manos en que estaban, no menos divididos que escondidos como tesoro, con otros que no cupo en el tiempo buscarlos ni copiarlos.

El hijo que la esclava ha concebido,
dice el derecho que le pertenece
al legítimo dueño que obedece
la esclava madre, de quien es nacido.
    El que retorna el campo agradecido,   5
opimo fruto, que obediente ofrece,
es del señor, pues si fecundo crece,
se lo debe al cultivo recibido.
    Así, Lisi divina, estos borrones
que hijos del alma son, partos del pecho,   10
será razón que a ti te restituya;

_____

[2]   (Cast., 1; MP, I, 303; SR, 89.) Sólo se publicó en Cast.

y no lo impidan sus imperfecciones,
pues vienen a ser tuyos de derecho
los conceptos de un alma que es tan tuya.

Ama y señora mía, besa los pies de vuestra excelencia,
su criada
Juana Inés de la Cruz.

Poesía amorosa

[3]

Soneto

*Resuelve la cuestión de cuál sea pesar más molesto en encontradas co-
rrespondencias, amar o aborrecer.*

Que no me quiera Fabio, al verse amado,
es dolor sin igual en mí sentido;
mas, que me quiera Silvio aborrecido,
es menor mal, mas no menor enfado.

¿Qué sufrimiento no estará cansado   5
si siempre le resuenan al oído,
tras la vana arrogancia de un querido,
el cansado gemir de un desdeñado?

Si de Silvio me cansa el rendimiento,
a Fabio canso con estar rendida;   10
si de éste busco el agradecimiento,
a mí me busca el otro agradecida:

---

[3] (Cast., 3; MP, I, 288; SR, 91.)

En este soneto, y en los dos siguientes, se trata el tema de los amores no co-
rrespondidos. Utiliza SJ el recurso de la antítesis, de acuerdo con la tradición
que se remonta al poeta galo-romano Ausonio y de la que existen numerosos
testimonios líricos en los siglos xvi y xvii (Cfr. MP, I, 530-31). Convertido
en un tópico más de la casuística amorosa, puede apreciarse su presencia en
la novelística pastoril (en las *Dianas,* por ejemplo) y en la comedia de enredo
del Siglo de Oro, donde se utilizó profusamente como eje argumental.

De los tres sonetos de SJ, el tercero es el que ofrece la versión más tradicional (la situación sigue siendo igualmente conflictiva en los dos supuestos
planteados). En cambio, en los sonetos anteriores SJ se inclina por solucionar el conflicto haciendo prevalecer la «razón» sobre la «pasión» (en el primer soneto, en el cuarteto inicial; en el 2.º, en el último terceto).

por activa y pasiva es mi tormento,
pues padezco en querer y en ser querida.

[4]

Prosigue el mismo asunto, y determina que prevalezca la razón contra el gusto.

Al que ingrato me deja, busco amante;
al que amante me sigue, dejo ingrata;
constante adoro a quien mi amor maltrata;
maltrato a quien mi amor busca constante.
Al que trato de amor, hallo diamante,   5
y soy diamante al que de amor me trata;
triunfante quiero ver al que me mata,
y mato a quien me quiere ver triunfante.
Si a éste pago, padece mi deseo;
si ruego a aquél, mi pundonor enojo: 10
de entrambos modos infeliz me veo.
Pero yo por mejor partido escojo,
de quien no quiero, ser violento empleo,
que de quien no me quiere, vil despojo.

[5]

SONETO

Continúa el asunto, y aun le expresa con más viva elegancia.

Feliciano me adora, y le aborrezco;
Lisardo me aborrece, y yo le adoro;
por quien no me apetece ingrato, lloro,

---

[4]   (Cast., 4; MP, I, 289; SR, 92.)
[5]   (Cast., 5; MP, I, 288; SR, 92.)

y al que me llora tierno, no apetezco.

    A quien más me desdora, el alma ofrezco;   5
a quien me ofrece víctimas, desdoro;
desprecio al que enriquece mi decoro,
y al que le hace desprecios, enriquezco.

    Si con mi ofensa al uno reconvengo,
me reconviene el otro a mí, ofendido,   10
y a padecer de todos modos vengo,

    pues ambos atormentan mi sentido:
aquéste con pedir lo que no tengo,
y aquél con no tener lo que pido.

[6]

SONETO

Enseña cómo un solo empleo en amar es razón y conveniencia.

    Fabio, en el ser de todos adoradas,
son todas las beldades ambiciosas,
porque tienen las aras por ociosas
si no las ven de víctimas colmadas.

    Y así, si de uno solo son amadas,   5
viven de la fortuna querellosas,
porque piensan que más que ser hermosas,
constituye deidad el ser rogadas.

    Mas yo soy en aquesto tan medida
que en viendo a muchos, mi atención zozobra,   10
y sólo quiero ser correspondida

    de aquél que de mi amor réditos cobra;
porque es la sal del gusto el ser querida,
que daña lo que falta, y lo que sobra.

---

[6]   (Cast., 5; MP, I, 289; SR, 93.)

[7]

Soneto

De amor, puesto antes en sujeto indigno, es enmienda blasonar del arrepentimiento.

Cuando mi error y tu vileza veo,
contemplo, Silvio, de mi amor errado,
cuán grave es la malicia del pecado,
cuán violenta la fuerza de un deseo.
A mi mesma memoria apenas creo   5
que pudiese caber en mi cuidado
la última línea de lo despreciado,
el término final de un mal empleo.
Yo bien quisiera, cuando llego a verte,
viendo mi infame amor, poder negarlo;   10
mas luego la razón justa me advierte
que sólo se remedia en publicarlo;
porque del gran delito de quererte,
sólo es bastante pena, confesarlo.

[8]

Soneto

Prosigue en su pesar, y dice que aun no quisiera aborrecer tan indigno sujeto, por no tenerle así aun cerca del corazón.

Silvio, yo te aborrezco, y aun condeno
el que estés de esta suerte en mi sentido;
que infama al hierro el escorpión herido,
y a quien lo huella, mancha inmundo el cieno.

---

[7] (Cast., 196; MP, I, 290; SR, 283.)
[8] (Cast., 197; MP, I, 290; SR, 283.)
3 *Var.:* Cast., «que infama *el* hierro *al* escorpión». Errata.

Eres como el mortífero veneno   5
que daña a quien lo vierte inadvertido,
y en fin eres tan malo y fementido,
que aun para aborrecido no eres bueno.

Tu aspecto vil a mi memoria ofrezco,
aunque con susto me lo contradice,   10
por darme yo la pena que merezco;

pues cuando considero lo que hice,
no solo a ti, corrida, te aborrezco,
pero a mí, por el tiempo que te quise.

[9]

SONETO

No quiere pasar por olvido lo descuidado.

Dices que yo te olvido, Celio, y mientes
en decir que me acuerdo de olvidarte,
pues no hay en mi memoria alguna parte
en que, aun como olvidado, te presentes.

Mis pensamientos son tan diferentes   5
y en todo tan ajenos de tratarte,
que ni saben si pueden agraviarte,
ni, si te olvidan, saben si lo sientes:

Si tú fueras capaz de ser querido
fueras capaz de olvido; y ya era gloria,   10
al menos, la potencia de haber sido;

mas tan lejos estás de esa victoria,
que aqueste no acordarme no es olvido
sino una negación de la memoria.

[9]   (Cast., 197; MP, I, 295; SR, 284.)
7   *Var.:* Cast., *«olvidarte».* Sigo la corrección de MP, ya que en el poema siguiente se indica que se utilizan las mismas palabras para la rima. SR mantiene la lectura de Cast.

[10]

SONETO

Sin perder los mismos consonantes, contradice con la verdad, aún más ingeniosa, su hipérbole.

Dices que no te acuerdas, Clori, y mientes
en decir que te olvidas de olvidarte,
pues das ya en tu memoria alguna parte
en que, por olvidado, me presentes.
Si son tus pensamientos diferentes   5
de los de Albiro, dejarás tratarte,
pues tú misma pretendes agraviarte
con querer persuadir lo que no sientes.
Niégasme ser capaz de ser querido,
y tú misma concedes esa gloria,   10
con que en tu contra tu argumento ha sido;
pues si para alcanzar tanta victoria
te acuerdas de olvidarte del olvido,
ya no das negación en tu memoria.

[11]

SONETO

Un celoso refiere el común pesar que todos padecen, y advierte a la causa, el fin que puede tener la lucha de afectos encontrados.

Yo no dudo, Lisarda, que te quiero,
aunque sé que me tienes agraviado;
mas estoy tan amante y tan airado,
que afectos que distingo no prefiero.

---

[10] (Cast., 198; MP, I, 295; SR, 285.)
[11] (Cast., 137; MP, I, 294; SR, 225.)

De ver que odio y amor te tengo, infiero   5
que ninguno estar puede en sumo grado,
pues no le puede el odio haber ganado
sin haberle perdido amor primero.

Y si piensas que el alma que te quiso
ha de estar siempre a tu afición ligada,   10
de tu satisfacción vana te aviso:

pues si el amor al odio ha dado entrada,
el que bajó de sumo a ser remiso,
de lo remiso pasará a ser nada.

[12]

<small>SONETO</small>

Aunque en vano, quiere reducir a método racional el pesar de un
celoso.

¿Qué es esto, Alcino? ¿Cómo tu cordura
se deja así vencer de un mal celoso,
haciendo con extremos de furioso
demostraciones más que de locura?

¿En qué te ofendió Celia, si se apura?   5
¿O por qué al amor culpas de engañoso,
si no aseguró nunca poderoso
la eterna posesión de su hermosura?

La posesión de cosas temporales,
temporal es, Alcino, y es abuso   10
el querer conservarlas siempre iguales.

Con que tu error o tu ignorancia acuso,
pues Fortuna y Amor, de cosas tales
la propiedad no han dado, sino el uso.

[12]   (Cast., 137; MP, I, 292; SR, 224.)

[13]

Que consuela a un celoso, epilogando la serie de los amores.

> Amor empieza por desasosiego,
> solicitud, ardores y desvelos;
> crece con riesgos, lances y recelos,
> sustentase de llantos y de ruego.
> Doctrínanle tibiezas y despego,   5
> conserva el ser entre engañosos velos,
> hasta que con agravios o con celos
> apaga con sus lágrimas su fuego.
> Su principio, su medio y fin es éste;
> pues ¿por qué, Alcino, sientes el desvío   10
> de Celia que otro tiempo bien te quiso?
> ¿Qué razón hay de que dolor te cueste,
> pues no te engañó Amor, Alcino mío,
> sino que llegó el término preciso?

---

[13]   (II, 1692, 280; MP, I, 297.)
14   *Var.:* II, 1692, «sino que llegó *ya* el término preciso». Errata por cómputo silábico. Se suprime el *ya* en II, 1693 y en MP.

[14]

ROMANCE

Discurre con ingenuidad ingeniosa sobre la pasión de los celos. Muestra que su desorden es senda única para hallar el amor, y contradice un problema de don Josef Montoro, uno de los más célebres poetas de este siglo.

> Si es causa amor productivo
> de diversidad de afectos,
> que con producirlos todos,
> se perfecciona a sí mesmo;
>   y si el uno de los más   5
> naturales son los celos,
> ¿cómo sin tenerlos puede
> el amor estar perfecto?
>   Son ellos, de que hay amor,
> el signo más manifiesto,   10
> como la humedad del agua
> y como el humo del fuego.
>   No son, que dicen, de amor
> bastardos hijos groseros,
> sino legítimos, claros   15
> sucesores de su imperio.
>   Son crédito y prueba suya,
> pues sólo pueden dar ellos
> auténticos testimonios
> de que es amor verdadero.   20

---

[14]   (Cast., 31; MP, I, 9; SR, 111.)

Título: José Pérez de Montoro (1627-94), poeta español cuyas obras se publicaron en 1736. SJ alude a un romance de este autor, en el que defendía que el amor perfecto está libre de los celos (posición contraria a la tradicional).

1   *Var.:* MP, «productiva». Mantengo la concordancia de Cast.

Porque la fineza, que es
de ordinario el tesorero
a quien remite las pagas
amor, de sus libramientos,
¿cuántas veces, motivada   25
de otros impulsos diversos,
ejecuta por de amor,
decretos del galanteo?
    El cariño, ¿cuántas veces
por dulce entretenimiento   30
fingiendo quilates, crece
la mitad del justo precio?
    ¿Y cuántas más, el discurso,
por ostentarse discreto,
acredita por de amor   35
partos del entendimiento?
    ¿Cuántas veces hemos visto
disfrazada en rendimientos
a la propia conveniencia,
a la tema o al empeño?   40
    Sólo los celos ignoran
fábricas de fingimientos,
que como son locos, tienen
propiedad de verdaderos.
    Los gritos que ellos dan son   45
sin dictamen de su dueño,
no ilaciones del discurso,
sino abortos del tormento.
    Como de razón carecen,
carecen del instrumento   50
de fingir, que aquesto sólo

---

21 *fineza:* la acción con que se da a entender el amor (*Dic. Aut.*). SJ en
términos comerciales, habla de *crédito* y *libramientos,* escrituras por las que el
acreedor puede cobrar su dinero (*Dic. Aut.*).

40 *tema:* obstinación, porfía (*Dic. Aut.*).

44 Los celos son prueba del verdadero amor frente a las «finezas» que
pueden fingirlo por «impulsos diversos» (vv. 25-28), por «entretenimiento»
(vv. 29-32), por ostentación intelectual (vv. 33-36) o por «conveniencia»
o «empeño» (vv. 37-40).

es en lo irracional, bueno.
Desbocados ejercitan
contra sí el furor violento,
y no hay quien quiera en su daño   55
mentir, sino en su provecho.
Del frenético, que fuera
de su natural acuerdo
se despedaza, no hay quien
juzgue que finge el extremo.   60
En prueba de esta verdad
mírense cuantos ejemplos,
en bibliotecas de siglos,
guarda el archivo del tiempo:
A Dido fingió el troyano,   65
mintió a Ariadna, Teseo,
ofendió a Minos, Pasife
y engañaba a Marte, Venus.
Semíramis mató a Nino,
Elena deshonró al griego,   70
Jasón agravió a Medea
y dejó a Olimpia, Vireno.
Betsabé engañaba a Urías,
Dalida al caudillo hebreo,
Jael a Sísara horrible,   75
Judit a Holofernes fiero.
Estos y otros que mostraban

65-76   Eneas ocultó a Dido su marcha de Cartago (Dido es figura literaria representativa de la amante que espera inútilmente a su amado); Teseo,
después de matar al Minotauro, consiguió escapar del Laberinto de Creta
gracias al hilo que le dio Ariadna, a la que abandonó después; Pasífae engañó
a su esposo, el rey Minos, engendrando de un toro al Minotauro; Venus engañó a su esposo Vulcano con Marte, y a éste con Adonis; según la leyenda,
Semíramis llegó al trono de Nínive después de asesinar a su marido; Elena,
esposa de Menelao, se dejó raptar por Paris, lo que originó la guerra de Troya; Jasón se separó de su esposa Medea, para contraer un nuevo matrimonio;
Vireno abandonó en una isla desierta a su esposa (episodio del *Orlando furioso*
de Ariosto). Los últimos cuatro casos se corresponden con relatos bíblicos:
Betsabé (*Bersabé* en Cast., según arcaísmo que se utilizaba en la época de SJ)
fue amante del rey David; Dalida engañó a Sansón; Jael es, como Judit, una
de las heroínas hebreas que asesinaron a generales enemigos.

tener amor sin tenerlo,
todos fingieron amor,
mas ninguno fingió celos.   80

    Porque aquél puede fingirse
con otro color, mas éstos
son la prueba del amor
y la prueba de sí mesmos.

    Si ellos no tienen más padre   85
que el amor, luego son ellos
sus más naturales hijos
y más legítimos dueños.

    Las demás demostraciones,
por más que finas las vemos,   90
pueden no mirar a amor
sino a otros varios respectos.

    Ellos solos se han con él
como la causa y efecto.
¿Hay celos?, luego hay amor;   95
¿hay amor?, luego habrá celos.

    De la fiebre ardiente suya
son el delirio más cierto,
que, como están sin sentido,
publican lo más secreto.   100

    El que no los siente, amando,
del indicio más pequeño,
en tranquilidad de tibio
goza bonanzas de necio;

    que asegurarse en las dichas   105
solamente puede hacerlo
la villana confianza
del propio merecimiento.

    Bien sé que, tal vez furiosos,
suelen pasar desatentos   110
a profanar de lo amado
osadamente el respeto;

    mas no es esto esencia suya,

---

91   *Var.:* SR, *«no pueden».* Errata.
105 *Var.:* MP, *«asegurarme».* Errata.

sino un accidente anexo
que tal vez los acompaña   115
y tal vez deja de hacerlo.

    Mas doy que siempre aun debiera
el más soberano objeto
por la prueba de lo fino,
perdonarles lo grosero.   120

    Mas no es, vuelvo a repetir,
preciso, que el pensamiento
pase a ofender del decoro
los sagrados privilegios.

    Para tener celos basta   125
sólo el temor de tenerlos,
que ya está sintiendo el daño
quien está sintiendo el riesgo.

    Temer yo que haya quien quiera
festejar a quien festejo,   130
aspirar a mi fortuna
y solicitar mi empleo,

    no es ofender lo que adoro,
antes es un alto aprecio
de pensar que deben todos   135
adorar lo que yo quiero.

    Y éste es un dolor preciso,
por más que divino el dueño
asegure en confianzas
prerrogativas de exento.   140

    Decir que éste no es cuidado
que llegue a desasosiego,
podrá decirlo la boca
mas no comprobarlo el pecho.

    Persuadirme a que es lisonja   145
amar lo que yo apetezco,
aprobarme la elección
y calificar mi empleo,

---

140 *prerrogativas de exento:* que tengo el privilegio de estar libre de sospechas.
141 *Var.:* MP, «esto». Errata.

a quien tal tiene a lisonja
nunca le falte este obsequio: 150
que yo juzgo que aquí sólo
son duros los lisonjeros,
     pues sólo fuera a poder
contenerse estos afectos
en la línea del aplauso   155
o en el coto del cortejo.
     ¿Pero quién con tal medida
les podrá tener el freno
que no rompan, desbocados,
el alacrán del consejo?   160
     Y aunque ellos en sí no pasen
el término de lo cuerdo,
¿quién lo podrá persuadir
a quien los mira con miedo?
     Aplaudir lo que yo estimo,   165
bien puede ser sin intento
segundo, ¿mas quién podrá
tener mis temores quedos?
     Quien tiene enemigos, suelen
decir que no tenga sueño;   170
¿pues cómo ha de sosegarse
el que los tiene tan ciertos?
     Quien en frontera enemiga
descuidado ocupa el lecho,
sólo parece que quiere   175
ser, del contrario, trofeo.
     Aunque inaccesible sea
el blanco, si los flecheros
son muchos, ¿quién asegura
que alguno no tenga acierto?   180

---

152   De manera, tal vez, más clara, SJ dice: el que otros muestren afectos
hacia mi amado sólo tiene justificación (*duro:* lo sólido y firme) si se limitan
al aplauso y al agasajo (vv. 155-56). Sólo así podría ser considerada esta actitud como una alabanza hacia mí.

160   *alacrán:* pieza del freno de un caballo, llamada así porque su punta
retorcida recuerda la cola del escorpión. Hasta el v. 200 SJ ejemplifica la difícil situación planteada al amante en los vv. 145-155.

Quien se alienta a competirme,
aun en menores empeños,
es un dogal que compone
mis ahogos de su aliento.

Pues, ¿qué será el que pretende   185
excederme los afectos,
mejorarme las finezas
y aventajar los deseos;

quien quiere usurpar mis dichas,
quien quiere ganarme el premio   190
y quien en galas del alma
quiere quedar más bien puesto;

quien para su exaltación
procura mi abatimiento
y quiere comprar sus glorias   195
a costa de mis desprecios;

quien pretende con los suyos
deslucir mis sentimientos,
que en los desaires del alma
es el más sensible duelo?   200

Al que este dolor no llega
al más reservado seno
del alma, apueste insensibles
competencias con el yelo.

La confianza ha de ser   205
con proporcionado medio:
que deje de ser modestia,
sin pasar a ser despego.

El que es discreto, a quien ama
le ha de mostrar que el recelo   210
lo tiene en la voluntad
y no en el entendimiento.

Un desconfiar de sí
y un estar siempre temiendo
que podrá exceder al mío   215
cualquiera mérito ajeno;

---

207   *Var.:* MP, «el sentido pide *molestia*». De acuerdo con SR, no lo creo.

              un temer que la fortuna
          podrá, con airado ceño,
          despojarme por indigno
          del favor, que no merezco,   220
              no sólo no ofende, antes
          es el esmalte más bello
          que a las joyas de lo fino
          les puede dar lo discreto;
              y aunque algo exceda la queja   225
          nunca queda mal, supuesto
          que es gala de lo sentido
          exceder de lo modesto.
              Lo atrevido en un celoso,
          lo irracional y lo terco,   230
          prueba es de amor que merece
          la beca de su colegio.
              Y aunque muestre que se ofende
          yo sé que por allá dentro
          no le pesa a la más alta   235
          de mirar tales extremos.
              La más airada deidad
          al celoso más grosero
          le está aceptando servicios
          los que riñe atrevimientos.   240
              La que se queja oprimida
          del natural más estrecho,
          hace ostentación de amada
          el que parece lamento.
              De la triunfante hermosura   245
          tiran el carro soberbio,
          el desdichado con quejas,
          y el celoso con despechos.

---

232 *beca:* la lista de paño que «se cruza por delante del pecho y subiendo
por los hombros desciende por las espaldas» (*Dic. Aut.*). Tenían color distinto según cada colegio y los escolares la utilizaban a modo de insignia. Por
comparación, según SJ, los celos son la «insignia» del verdadero amante.
242 *del natural más estrecho:* del afecto propio de los más allegados.

Uno de sus sacrificios
es este dolor acerbo,   250
y ella, ambiciosa, no quiere
nunca tener uno menos.

¡Oh doctísimo Montoro,
asombro de nuestros tiempos,
injuria de los Virgilios,   255
afrenta de los Homeros!

Cuando de amor prescindiste
este inseparable afecto,
precisión que sólo pudo
formarla tu entendimiento,   260

bien se ve que sólo fue
la empresa de tus talentos
el probar lo más difícil,
no persuadir a creerlo.

Al modo que aquéllos que   265
sutilmente defendieron
que de la nube los ampos
se visten de color negro,

de tu sutileza fue
airoso, galán empeño,   270
sofística bizarría
de tu soberano ingenio.

Probar lo que no es probable,
bien se ve que fue el intento
tuyo, porque lo evidente   275
probado se estaba ello.

Acudistes al partido
que hallastes más indefenso
y a la opinión desvalida

255-56   En tono amistoso y burlesco SJ se asombra del planteamiento de
Montoro sobre los «celos», contrario a la tradición literaria. Hasta el final del
poema se insiste en esta idea.

267   *Var.:* MP cambia *nube* por *«nieve»*. En efecto, según *Dic. Aut.,* ampo es
«voz con que se expresa la blancura, albura y candor de la nieve», por lo que
es probable que SJ se equivocara o que sea errata en Cast. Los calumniadores
son los que defendían que la nieve era negra, según refiere Cicerón (Cfr. MP,
I, 366).

ayudaste, caballero.   280
    Este fue tu fin; y así,
debajo de este supuesto,
no es ésta, ni puede ser,
réplica de tu argumento,
    sino sólo una obediencia   285
mandada de gusto ajeno,
cuya insinuación en mí
tiene fuerza de precepto.
    Confieso que de mejor
gana siguiera mi genio   290
el extravagante rumbo
de tu no hollado sendero.
    Pero, sobre ser difícil,
inaccesible lo has hecho;
pues el mayor imposible   295
fuera ir en tu seguimiento.
    Rumbo que estrenan las alas
de tu remontado vuelo,
aun determinado al daño,
no lo intentara un despecho.   300
    La opinión que yo quería
seguir, seguiste primero;
dísteme celos, y tuve
la contraria con tenerlos.
    Con razón se reservó   305
tanto asunto a tanto ingenio,
que a fuerzas sólo de Atlante
fía la esfera su peso.
    Tenla pues, que si consigues
persuadirla al Universo,   310
colgará el género humano
sus cadenas en tu templo;
    no habrá quejosos de amor,
y en sus dulces prisioneros
serán las cadenas oro   315

_____

297-300   Alusión al vuelo de Icaro. SR, «referencia a Icaro y Faetón»
(pág. 121).

y no dorados los hierros;
    será la sospecha inútil,
estará ocioso el recelo,
desterrará el indicio
y perderá el ser el miedo.   320
    Todo será dicha, todo
felicidad y contento,
todo venturas, y en fin
pasará el mundo a ser cielo;
    deberánle los mortales   325
a tu valeroso esfuerzo
la más dulce libertad
del más duro cautiverio.
    Mucho te deberán todos,
y yo más que todos debo   330
las discretas instrucciones
a las luces de tus versos.
    Dalos a la estampa porque
en caracteres eternos
viva tu nombre y con él   335
se extienda al común provecho.

[15]

DÉCIMAS

Defiende que amar por elección del arbitrio, es sólo digno de racional correspondencia.

Al amor, cualquier curioso
hallará una distinción;
que uno nace de elección

---

336   *Var.:* MP, «el». Errata.
[15]   (Cast., 108; MP, I, 242; SR, 201.)
    La defensa que SJ hace del amor racional se fundamenta en el neoplatonis-
mo que perdura hasta fines del Barroco. En el otro extremo estaría el amor
fruto del deseo (la pasión desatada) que podía llegar a identificarse con una

y otro de influjo imperioso.
Éste es más afectuoso,   5
porque es el más natural,
y así es más sensible: al cual
llamaremos afectivo;
y al otro, que es electivo,
llamaremos racional.   10

    Éste, a diversos respectos,
tiene otras mil divisiones
por las denominaciones
que toma de sus objetos.
Y así, aunque no mude efectos,   15
que muda nombres es llano:
al de objeto soberano
llaman amor racional;
y al de deudos, natural;
y si es amistad, urbano.   20

    Mas dejo esta diferencia
sin apurar su rigor;
y pasando a cuál amor
merece correspondencia,
digo que es más noble esencia   25
la del de conocimiento;
que el otro es un rendimiento
de precisa obligación,
y sólo al que es elección
se debe agradecimiento.   30

    Pruébolo. Si aquél que dice
que idolatra una beldad,
con su libre voluntad
a su pasión contradice,
y llamándose infelice   35

_____

enfermedad. El influjo de los astros (tópico de la literatura amatoria) podía
ocasionar esa pasión y anular la voluntad del amante.
    20   *urbano:* cortesano.

culpa su estrella de avara
sintiendo que le inclinara,
pues si en su mano estuviera,
no sólo no la quisiera,
mas, quizá, la despreciara.   40

    Si pende su libertad
de un influjo superior,
diremos que tiene amor,
pero no que voluntad;
pues si ajena potestad   45
le constriñe a obedecer,
no se debe agradecer
aunque de su pena muera,
ni estimar el que la quiera
quien no la quiere querer.   50

    El que a las prensas se inclina
sin influjo celestial,
es justo que donde el mal,
halle también medicina;
mas a aquél que le destina   55
influjo que le atropella,
y no la estima por bella
sino porque se inclinó,
si su estrella le empeñó,
vaya a cobrar de su estrella.   60

    Son, en los dos, los intentos
tan varios, y las acciones,
que en uno hay veneraciones
y en otro hay atrevimientos:
uno aspira a sus contentos,   65
otro no espera el empleo;

---

51   *Var.:* MP, *«prendas»*. Más correcto me parece respetar el original
«prensas», tal como hace SR. La asociación de sufrimiento y amante se corresponde con la tradición literaria y queda patente en la imagen de SJ. Esta es-
trofa guarda relación, en este sentido, con las dos anteriores.

pues si tal variedad veo,
¿quién tan bárbara será
que, ciega, no admitirá
más un culto que un deseo?   70

    Quien ama de entendimiento,
no sólo en amar da gloria,
mas ofrece la victoria
también del merecimiento;
pues, ¿no será loco intento   75
presumir que a obligar viene
quien con su pasión se aviene
tan mal que, estándola amando,
indigna la está juzgando
del mismo amor que le tiene?   80

    Un amor apreciativo
sólo merece favor,
porque un amor, de otro amor
es el más fuerte atractivo;
mas en un ánimo altivo   85
querer que estime el cuidado
de un corazón violentado,
es solicitar con veras
que agradezcan las galeras
la asistencia del forzado.   90

    A la hermosura no obliga
amor que forzado venga,
ni admite pasión que tenga
la razón por enemiga;
ni habrá quien le contradiga   95
el propósito e intento
de no admitir pensamiento
que, por mucho que la quiera,
no le dará el alma entera,
pues va sin entendimiento.   100

─────────────

80   *Var.:* Cast., *«la»*.

[16]

ROMANCE

Que resuelve con ingenuidad sobre problema entre las instancias de la obligación y el afecto.

Supuesto, discurso mío,
que gozáis en todo el orbe,
entre aplausos de entendido,
de agudo veneraciones,
   mostradlo, en el duro empeño   5
en que mis ansias os ponen,
dando salida a mis dudas,
dando aliento a mis temores.
   Empeño vuestro es el mío;
mirad que será desorden   10
ser en causa ajena, agudo,
y en la vuestra propia, torpe.
   Ved que es querer que, las causas
con efectos disconformes,
nieves el fuego congele,   15
que la nieve llamas brote.
   Manda la razón de estado
que, atendiendo a obligaciones,
las partes de Fabio olvide,
las prendas de Silvio adore;   20
   o que, al menos, si no puedo
vencer tan fuertes pasiones,

---

[16]   (II, 1692, 339; MP, I, 17.)

1-4   Alusión al éxito de su *Inundación Castálida*.

11   *Var.:* II, 1693, «*casa*».

14   *Var.:* II, 1693, «*afectos*».

17   *razón de estado:* «La política y reglas con que se dirigen y gobiernan las cosas pertenecientes al interés y utilidad de la República» *(Dic. Aut.)*. Las convenciones sociales.

cenizas de disimulo
cubran amantes ardores:
　　que vano disfraz las juzgo　　　　　25
pues harán, cuando más obren,
que no se mire la llama,
no que el ardor no se note.
　　¿Cómo podré yo mostrarme,
entre estas contradicciones,　　　　　30
a quien no quiero, de cera;
a quien adoro, de bronce?
　　¿Cómo el corazón podrá,
cómo sabrá el labio torpe
fingir halago, olvidando;　　　　　35
mentir, amando, rigores?
　　¿Cómo sufrir, abatido
entre tan bajas ficciones,
que lo desmienta la boca
podrá un corazón tan noble?　　　　　40
　　¿Y cómo podrá la boca,
cuando el corazón se enoje,
fingir cariños, faltando
quien le ministre razones?
　　¿Podrá mi noble altivez　　　　　45
consentir que mis acciones
de nieve y de fuego, sirvan
de ser fábula del orbe?
　　Y yo doy que tanta dicha
tenga que todos lo ignoren;　　　　　50
para pasar la vergüenza,
¿no basta que a mí me conste?
　　Que aquesto es razón me dicen
los que la razón conocen;
¿pues cómo la razón puede　　　　　55
forjarse de sinrazones?
　　¿Qué te costaba, hado impío,
dar, al repartir tus dones,
o los méritos a Fabio
o a Silvio las perfecciones?　　　　　60
　　Dicha y desdicha de entrambos

las suertes los descompone,
con que el uno su desdicha
y el otro su dicha ignore.
    ¿Quién ha visto que tan varia   65
la fortuna se equivoque
y que el dichoso padezca
porque el infelice goce?
    No me convence el ejemplo
que en el Mongibelo ponen,   70
que en él es natural gala
y en mí voluntad disforme;
    y resistir el combate
de tan encontrados golpes
no cabe en lo sensitivo   75
y puede sufrirlo un monte.
    ¡Oh vil arte, cuyas reglas
tanto a la razón se oponen,
que para que se ejecuten
es menester que se ignoren!   80
    ¿Qué hace en adorarme Silvio?
Cuando más fino blasone,
¿quererme es más que seguir
de su inclinación el norte?
    Gustoso vive en su empleo   85
sin que disgustos le estorben.
¿Pues qué vence, si no vence
por mí sus inclinaciones?
    ¿Qué víctima sacrifica,
qué incienso en mis aras pone,   90
si cambia sus rendimientos
al precio de mis favores?
    Más hago yo, pues no hay duda
que hace finezas mayores,
que el que voluntario ruega,   95
quien violenta corresponde.

---

62   *Var.:* II, 1693, *«la suerte les* descompone».
70   *Mongibelo:* el volcán Etna, en Sicilia, que oculta su fuego bajo las nieves de su cumbre.

Porque aquél sigue obediente
de su estrella el curso dócil,
y ésta contra la corriente
de su destino se opone.   100
    Él es libre para amarme,
aunque a otra su amor provoque;
¿y no tendré yo la misma
libertad en mis acciones?
    Si él restituirse no puede,   105
su incendio mi incendio abone.
Violencia que a él lo sujeta,
¿qué mucho que a mí me postre?
    ¿No es rigor, no es tiranía,
siendo iguales las pasiones,   110
no poder él reportarse
y querer que me reporte?
    Quererlo porque él me quiere,
no es justo que amor se nombre:
que no ama quien para amar   115
el ser amado supone.
    No es amor correspondencia;
causas tiene superiores,
que lo concilian los astros
o lo engendran perfecciones.   120
    Quien ama porque es querida,
sin otro impulso más noble,
desprecia al amante y ama
sus propias adoraciones.

---

105   *Var.:* MP, *«si él resistirse»*... Sin embargo, no es necesario este cambio:
si Silvio no puede impedir su pasión amorosa, tampoco se me exija a mí que
no me muestre airada *(Restituirse:* «Volver al lugar de donde se había salido»
[Dic. Aut.].

106   *incendio:* «los afectos que acaloran y encienden el ánimo: como el
amor, la ira, etc...» *[Dic. Aut.]).*

107 y 113   *Var:* II, 1692, *«le* sujeta» y «querer*le».* El leísmo (y también el
laísmo) puede deberse a los impresores españoles (opinión de MP) pero también a un uso indistinto por parte de SJ (opinión de Salceda y Sainz de Medrano, *Bibliog.).*

119-120   *Var.:* II, 1692, «que *las* concilian los Astros, / o *la* engendran
perfecciones».

Del humo del sacrificio   125
quiere los vanos honores,
sin mirar si al oferente
hay méritos que le adornen.
    Ser potencia y ser objeto,
a toda razón se opone;   130
porque era ejercer en sí
sus propias operaciones.
    A parte rei se distingue
el objeto que conoce;
y lo amable, no lo amante,   135
es blanco de sus arpones.
    Amor no busca la paga
de voluntades conformes,
que tan bajo interés fuera
indigna usura en los dioses.   140
    No hay cualidad que en él pueda
imprimir alteraciones,
del hielo de los desdenes,
del fuego de los favores.
    Su ser es inaccesible   145
al discurso de los hombres,
que aunque el efecto se sienta,
la esencia no se conoce.
    Y en fin, cuando en mi favor
no hubiera tantas razones,   150
mi voluntad es de Fabio,
Silvio; y el mundo perdone.

129-136   *potencia*: «La facultad para ejecutar alguna cosa, o producir algún
efecto» (*Dic. Aut.*). *Objeto*: «el término o fin de los actos de las potencias»
(*Dic. Aut.*).

A parte rei: «Expresión de la dialéctica de la filosofía nominalista concer-
niente a la *distintio formalis* de Duns Escoto (s. XIII) según la cual una cosa se
distingue de las otras por sí misma, no por parte del intelecto humano»
(Sainz de Medrano, *Bibliog.*, pág. 12).

Lo que se dice en los versos es lo siguiente: por su propia esencia (*a parte
rei*) se distinguen los actos de amar (potencia) y ser amado (objeto), de manera que el Amor (potencia) dirige sus flechas o dardos a la persona que es digna de amarse (objeto) pero sin tener en cuenta quién o quiénes serán sus
amantes.

Décimas

Que demuestran decoroso esfuerzo de la razón contra la vil tiranía de un amor violento.

Dime, vencedor rapaz,
vencido de mi constancia,
¿qué ha sacado tu arrogancia
de alterar mi firme paz?
Que aunque de vencer capaz   5
es la punta de tu arpón
el más duro corazón,
¿qué importa el tiro violento,
si a pesar del vencimiento
queda viva la razón?   10

Tienes grande señorío;
pero tu jurisdicción
domina la inclinación,
mas no pasa al albedrío.
Y así librarme confío   15
de tu loco atrevimiento,
pues aunque rendida siento
y presa la libertad,
se rinde la voluntad,
pero no el consentimiento.   20

En dos partes dividida
tengo el alma en confusión:
una, esclava a la pasión,
y otra, a la razón medida.
Guerra civil, encendida,   25

---

[17] (II, 1692, 294; MP, I, 234.)
1 *vencedor rapaz:* Cupido.

aflige el pecho importuna:
quiere vencer cada una,
y entre fortunas tan varias
morirán ambas contrarias,
pero vencerá ninguna.   30

    Cuando fuera, Amor, te vía
no merecí de ti palma;
y hoy, que estás dentro del alma,
es resistir valentía.
Córrase, pues, tu porfía   35
de los triunfos que te gano:
pues cuando ocupas, tirano,
el alma, sin resistillo,
tienes vencido el castillo
e invencible el castellano.   40

    Invicta razón alienta
armas contra tu vil saña,
y el pecho es corta campaña
a batalla tan sangrienta.
Y así, Amor, en vano intenta   45
tu esfuerzo loco ofenderme:
pues podré decir, al verme
expirar sin entregarme,
que conseguiste matarme,
mas no pudiste vencerme.   50

18

ROMANCE

En que cultamente expresa menos aversión de la que afectaba un enojo.

Si el desamor o el enojo
satisfacciones admiten,
y si tal vez los rigores
de urbanidades se visten,
　　escucha, Fabio, mis males,　　　　　　5
cuyo dolor, si se mide,
aun el mismo padecerlo
no lo sabrá hacer creíble.
　　Oye mi altivez postrada,
porque son incompatibles　　　　　　　　10
un pundonor que se ostente
con un amor que se humille.
　　Escucha de mis afectos
las tiernas voces humildes,
que en enfáticas razones　　　　　　　　15
dicen más de lo que dicen.
　　Que si después de escucharme,
rigor en tu pecho asiste,
informaciones de bronce
te acreditan de insensible.　　　　　　　20
　　No amarte tuve propuesto;
mas proponer ¿de qué sirve,
si a persuasiones sirenas

---

[18]　(II, 1692, 341; MP, I, 21.)

19　*de bronce:* tópico del amado que se comporta con la dureza y frialdad propias del metal. Algo, además, de lo que ya ha dado pruebas anteriormente («informaciones»).

23-28　Según el relato de la *Odisea,* Ulises logró liberarse del canto de las sirenas y del acoso amoroso de la maga Circe. La amante que se dirige a Fa-

no hay propósitos Ulises,
　　pues es, aunque se prevenga,　　　　25
en las amorosas lides,
el griego menos prudente
y más engañosa Circe?
　　¿Ni qué importa que, en un pecho
donde la pasión reside,　　　　　　　30
se resista la razón
si la voluntad se rinde?
　　En fin, me rendí. ¿Qué mucho,
si mis errores conciben
la esclavitud como gloria　　　　　　35
y como pensión lo libre?
　　Aun en mitad de mi enojo
estuvo mi amor tan firme
que a pesar de mis alientos,
aunque no quise, te quise.　　　　　　40
　　Pensé desatar el lazo
que mi libertad oprime
y fue apretar la lazada
el intentar desasirme.
　　Si de tus méritos nace　　　　　　45
esta pasión que me aflige,
¿cómo el efecto podrá
cesar si la causa existe?
　　¿Quién no admira que el olvido
tan poco del amor diste,　　　　　　50
que quien camina al primero,
al segundo se avecine?
　　No, pues, permitas, mi Fabio,
si en ti el mismo afecto vive,
que un leve enojo blasone　　　　　　55
contra un amor invencible.

---

bio, en cambio, no tiene la fuerza de voluntad de Ulises para resistir. «Persuasiones» y «propósito», substantivos adjetivados.

36 *pensión:* servidumbre. «La carga anual que se impone sobre alguna
cosa» (*Dic. Aut.*).

53 *Var.:* en II, 1692, *«permitáis».* Errata.

No hagas que un amor dichoso
se vuelva en efecto triste,
ni que las aras de Anteros
a Cupido se dediquen. 60

Deja que nuestras dos almas,
pues un mismo amor las rige,
teniendo la unión en poco,
amantes se identifiquen.

Un espíritu amoroso 65
nuestras dos vidas anime,
y Laquesis, al formarlas,
de un solo copo las hile.

Nuestros dos conformes pechos
con sola una aura respiren; 70
un destino nos gobierne
y una inclinación nos guíe.

Y en fin, a pesar del tiempo,
pase nuestro amor felice
de las puertas de la parca 75
unidad indivisible,

donde siempre amantes formas,
nuestro eterno amor envidien
los Leandros y las Heros,
los Píramos y las Tisbes. 80

---

59 Anteros y Cupido son hermanos y representan, según la mitología,
muy diversas actitudes amorosas. Aquí ha de entenderse que Anteros representa el amor puro y equilibrado frente al loco amor pasional de Cupido.

67 *Laquesis:* una de las tres *Parcas,* la que ponía el hilo (de la vida) en la
rueca.

79-80 Dos parejas célebres de amantes. Hero, al saber que Leandro se
había ahogado, se arrojó al mar. Píramo, creyendo que Tisbe había muerto,
se atravesó el pecho con una espada y así lo encontró Tisbe que, con la misma espada, también se dio muerte.

Redondillas

En que describe racionalmente los efectos irracionales del amor.

Este amoroso tormento
que en mi corazón se ve,
sé que lo siento, y no sé
la causa por que lo siento.

Siento una grave agonía   5
por lograr un devaneo,
que empieza como deseo
y para en melancolía.

Y cuando con más terneza
mi infeliz estado lloro,   10
sé que estoy triste e ignoro
la causa de mi tristeza.

Siento un anhelo tirano
por la ocasión a que aspiro;
y cuando cerca la miro,   15
yo misma aparto la mano,

porque, si acaso se ofrece,
después de tanto desvelo,
la desazona el recelo
o el susto la desvanece.   20

Y si alguna vez sin susto
consigo tal posesión,
cualquiera leve ocasión
me malogra todo el gusto.

Siento mal del mismo bien   25
con receloso temor,
y me obliga el mismo amor

---

[19] (II, 1692, 300; MP, I, 213.)
6 *devaneo:* delirio, fantasia.
23 *Var.:* II, 1692, *que cualquier...* Sigo la corrección de MP.

tal vez a mostrar desdén.

Cualquier leve ocasión labra
en mi pecho de manera   30
que el que imposibles venciera,
se irrita de una palabra.

Con poca causa ofendida,
suelo, en mitad de mi amor,
negar un leve favor   35
a quien le diera la vida.

Ya sufrida, ya irritada,
con contrarias penas lucho:
que por él sufriré mucho,
y con él sufriré nada.   40

No sé en qué lógica cabe
el que tal cuestión se pruebe:
que por él lo grave es leve,
y con él lo leve es grave.

Sin bastantes fundamentos   45
forman mis tristes cuidados,
de conceptos engañados,
un monte de sentimientos;

y en aquel fiero conjunto
hallo, cuando se derriba,   50
que aquella máquina altiva
sólo estribaba en un punto.

Tal vez el dolor me engaña
y presumo, sin razón,
que no habrá satisfacción   55
que pueda templar mi saña;

y cuando a averiguar llego
el agravio por que riño,
es como espanto de niño
que para en burlas y juego.   60

Y aunque el desengaño toco,
con la misma pena lucho,
de ver que padezco mucho
padeciendo por tan poco.

A vengarse se abalanza   65
tal vez el alma ofendida;

y después, arrepentida,
toma de mi otra venganza.
  Y si al desdén satisfago
es con tan ambiguo error   70
que yo pienso que es rigor
y se remata en halago.
  Hasta el labio desatento
suele, equívoco, tal vez,
por usar de la altivez   75
encontrar el rendimiento.
  Cuando por soñada culpa
con más enojo me incito,
yo le acrimino el delito
y le busco la disculpa.   80
  No huyo el mal ni busco el bien,
porque, en mi confuso error,
ni me asegura el amor
ni me despecha el desdén.
  En mi ciego devaneo,   85
bien hallada con mi engaño,
solicito el desengaño
y no encontrarlo deseo.
  Si alguno mis quejas oye,
más a decirlas me obliga   90
porque me las contradiga,
que no porque las apoye.
  Porque si con la pasión
algo contra mi amor digo,
es mi mayor enemigo   95
quien me concede razón.
  Y si acaso en mi provecho
hallo la razón propicia,
me embaraza la justicia
y ando cediendo el derecho.   100
  Nunca hallo gusto cumplido,
porque, entre alivio y dolor,
hallo culpa en el amor
y disculpa en el olvido.
  Esto de mi pena dura   105

es algo del dolor fiero,
y mucho más no refiero
porque pasa de locura.
    Si acaso me contradigo
en este confuso error,   110
aquel que tuviere amor
entenderá lo que digo.

[20]

SONETO

En que satisface un recelo con la retórica del llanto.

    Esta tarde, mi bien, cuando te hablaba,
como en tu rostro y tus acciones vía
que con palabras no te persuadía,
que el corazón me vieses deseaba;
    y Amor, que mis intentos ayudaba,   5
venció lo que imposible parecía:
pues entre el llanto, que el dolor vertía,
el corazón deshecho destilaba.
    Baste ya de rigores, mi bien, baste;
no te atormenten más celos tiranos   10
ni el vil recelo tu quietud contraste
    con sombras necias, con indicios vanos,
pues ya en líquido humor viste y tocaste
mi corazón deshecho entre tus manos.

---

[20]   (II, 1692, 280; MP, I, 287.)
13   La metáfora *«líquido humor»* por «lágrimas» guarda relación con la teoría de los «humores» que forman el cuerpo humano.

[21]

Soneto

Que contiene una fantasía contenta con amor decente.

Deténte, sombra de mi bien esquivo,
imagen del hechizo que más quiero,
bella ilusión por quien alegre muero,
dulce ficción por quien penosa vivo.
    Si al imán de tus gracias, atractivo,   5
sirve mi pecho de obediente acero,
¿para qué me enamoras lisonjero
si has de burlarme luego fugitivo?
    Mas blasonar no puedes, satisfecho,
de que triunfa de mí tu tiranía: 10
que aunque dejas burlado el lazo estrecho
    que tu forma fantástica ceñía,
poco importa burlar brazos y pecho
si te labra prisión mi fantasía.

[22]

Soneto

Que da medio para amar sin mucha pena.

Yo no puedo tenerte ni dejarte,
ni sé por qué, al dejarte o al tenerte,
se encuentra un no sé qué para quererte
y muchos si sé qué para olvidarte.
    Pues ni quieres dejarme ni enmendarte,   5
yo templaré mi corazón de suerte

---

[21] (II, 1692, 282; MP, I, 287.)
[22] (II, 1692, 282; MP, I, 293.)

que la mitad se incline a aborrecerte,
aunque la otra mitad se incline a amarte.
    Si ello es fuerza querernos, haya modo,
que es morir el estar siempre riñendo: 10
no se hable más en celo y en sospecha,
    y quien da la mitad, no quiera el todo;
y cuando me la estás allá haciendo,
sabe que estoy haciendo la deshecha.

[23]

LIRAS

Que expresan sentimientos de ausente.

Amado dueño mío,
escucha un rato mis cansadas quejas,
pues del viento las fío,
que breve las conduzca a tus orejas,
si no se desvanece el triste acento   5
como mis esperanzas en el viento.
    Óyeme con los ojos,
ya que están tan distantes los oídos,
y de ausentes enojos
en ecos, de mi pluma mis gemidos;   10
y ya que a ti no llega mi voz ruda,
óyeme sordo, pues me quejo muda.
    Si del campo te agradas,
goza de sus frescuras venturosas,
sin que aquestas cansadas   15
lágrimas te detengan, enfadosas;
que en él verás, si atento te entretienes,
ejemplos de mis males y mis bienes.

---

    13 *hacérsela:* «frase vulgar con que se da a entender que alguno engaña a
otro» *(Dic. Aut.).*
    14 *deshecha:* «disimulo» *(Dic. Aut.).*
    [23] (II, 1692, 284; MP, I, 313.)

Si al arroyo parlero
ves, galán de las flores en el prado,   20
que, amante y lisonjero,
a cuantas mira intima su cuidado,
en su corriente mi dolor te avisa
que a costa de mi llanto tiene risa.

Si ves que triste llora   25
su esperanza marchita, en ramo verde,
tórtola gemidora,
en él y en ella mi dolor te acuerde,
que imitan, con verdor y con lamento,
él mi esperanza y ella mi tormento.   30

Si la flor delicada,
si la peña, que altiva no consiente
del tiempo ser hollada,
ambas me imitan, aunque variamente,
ya con fragilidad, ya con dureza,   35
mi dicha aquélla y ésta mi firmeza.

Si ves el ciervo herido
que baja por el monte, acelerado,
buscando, dolorido,
alivio al mal en un arroyo helado,   40
y sediento al cristal se precipita,
no en el alivio, en el dolor me imita.

Si la liebre encogida
huye medrosa de los galgos fieros,
y por salvar la vida   45
no deja estampa de los pies ligeros,
tal mi esperanza, en dudas y recelos,
se ve acosada de villanos celos.

Si ves el cielo claro,
tal es la sencillez del alma mía;   50
y si, de luz avaro,
de tinieblas se emboza el claro día,
es con su obscuridad y su inclemencia
imagen de mi vida en esta ausencia.

Así que, Fabio amado,   55
saber puedes mis males sin costarte
la noticia cuidado,

pues puedes de los campos informarte;
y pues yo a todo mi dolor ajusto,
saber mi pena sin dejar tu gusto.   60
   Mas ¿cuándo, ¡ay gloria mía!,
mereceré gozar tu luz serena?
¿Cuándo llegará el día
que pongas dulce fin a tanta pena?
¿Cuándo veré tus ojos, dulce encanto,   65
y de los míos quitarás el llanto?
   ¿Cuándo tu voz sonora
herirá mis oídos, delicada,
y el alma que te adora,
de inundación de gozos anegada,   70
a recibirte con amante prisa
saldrá a los ojos desatada en risa?
   ¿Cuándo tu luz hermosa
revestirá de gloria mis sentidos?
¿Y cuándo yo, dichosa,   75
mis suspiros daré por bien perdidos,
teniendo en poco el precio de mi llanto,
que tanto ha de penar quien goza tanto?
   ¿Cuándo de tu apacible
rostro alegre veré el semblante afable,   80
y aquel bien indecible
a toda humana pluma inexplicable,
que mal se ceñirá a lo definido
lo que no cabe en todo lo sentido?
   Ven, pues, mi prenda amada: 85
que ya fallece mi cansada vida
de esta ausencia pesada;
ven, pues: que mientras tarda tu venida,
aunque me cueste su verdor enojos,
regaré mi esperanza con mis ojos.   90

[24]

LIRAS

Que dan encarecida satisfacción a unos celos.

 Pues estoy condenada,
Fabio, a la muerte, por decreto tuyo,
y la sentencia airada
ni la apelo, resisto, ni la huyo,
óyeme, que no hay reo tan culpado   5
a quien el confesar le sea negado.
 Porque te han informado,
dices, de que mi pecho te ha ofendido,
me has, fiero, condenado.
¿Y pueden, en tu pecho endurecido,   10
más la noticia incierta, que no es ciencia,
que de tantas verdades la experiencia?
 Si a otros crédito has dado,
Fabio, ¿por qué a tus ojos se lo niegas
y (el sentido trocado   15
de la ley) al cordel mi cuello entregas,
pues liberal me amplías los rigores
y avaro me restringes los favores?
 Si a otros ojos he visto,
mátenme, Fabio, tus airados ojos;   20
si a otro cariño asisto,
asístanme implacables tus enojos;
y si otro amor del tuyo me divierte,
tú, que has sido mi vida, me des muerte.
 Si a otro, alegre, he mirado,   25
nunca alegre me mires ni te vea;

---

[24] (II, 1692, 287; MP, I, 315.)
 15-16 MP anota el principio jurídico «Favorabilia sunt amplianda, et
odiosa restringenda», al que «trocado» alude SJ en los vv. 17 y 18.

117

si le hablé con agrado,
eterno desagrado en ti posea;
y si otro amor inquieta mi sentido,
sáquesme el alma tú, que mi alma has sido.   30
    Mas, supuesto que muero
sin resistir a mi infelice suerte,
que me des sólo quiero
licencia de que escoja yo mi muerte;
deja la muerte a mi elección medida,   35
pues en la tuya pongo yo la vida.
    No muera de rigores,
Fabio, cuando morir de amores puedo;
pues con morir de amores,
tú acreditado y yo bien puesta quedo: 40
que morir por amor, no de culpada,
no es menos muerte, pero es más honrada.
    Perdón, en fin, te pido
de las muchas ofensas que te he hecho
en haberte querido: 45
que ofensas son, pues son a tu despecho;
y con razón te ofendes de mi trato,
pues que yo, con quererte, te hago ingrato.

[25]

ROMANCE

Con que, en sentidos afectos, prelude al dolor de una ausencia.

    Ya que para despedirme,
dulce idolatrado dueño,
ni me da licencia el llanto
ni me da lugar el tiempo,
    háblente los tristes rasgos,   5
entre lastimosos ecos,
de mi triste pluma, nunca

[25] (II, 1692, 343; MP, I, 23.)

con más justa causa negros.
    Y aun ésta te hablará torpe
con las lágrimas que vierto,   10
porque va borrando el agua
lo que va dictando el fuego.
    Hablar me impiden mis ojos;
y es que se anticipan ellos,
viendo lo que he de decirte,   15
a decírtelo primero.
    Oye la elocuencia muda
que hay en mi dolor, sirviendo
los suspiros de palabras,
las lágrimas de conceptos.   20
    Mira la fiera borrasca
que pasa en el mar del pecho,
donde zozobran, turbados,
mis confusos pensamientos.
    Mira cómo ya el vivir   25
me sirve de afán grosero;
que se avergüenza la vida
de durarme tanto tiempo.
    Mira la muerte, que esquiva
huye porque la deseo;   30
que aun la muerte, si es buscada,
se quiere subir de precio.
    Mira cómo el cuerpo amante,
rendido a tanto tormento,
siendo en lo demás cadáver,   35
sólo en el sentir es cuerpo.
    Mira cómo el alma misma
aun teme, en su ser exento,
que quiera el dolor violar
la inmunidad de lo eterno.   40
    En lágrimas y suspiros,
alma y corazón a un tiempo,
aquél se convierte en agua
y ésta se resuelve en viento.
    Ya no me sirve de vida   45
esta vida que poseo,

sino de condición sola
necesaria al sentimiento.

Mas ¿por qué gasto razones
en contar mi pena, y dejo   50
de decir lo que es preciso,
por decir lo que estás viendo?

En fin, te vas. ¡Ay de mí!
Dudosamente lo pienso:
pues si es verdad, no estoy viva,   55
y si viva, no lo creo.

¿Posible es que ha de hablar día
tan infausto, tan funesto,
en que sin ver yo las tuyas
esparza sus luces Febo?   60

¿Posible es que ha de llegar
el rigor a tan severo
que no ha de darles tu vista
a mis pesares aliento?

¿Que no he de ver tu semblante,   65
que no he de escuchar tus ecos,
que no he de gozar tus brazos
ni me ha de animar tu aliento?

¡Ay mi bien, ay prenda mía,
dulce fin de mis deseos!   70
¿Por qué me llevas el alma,
dejándome el sentimiento?

Mira que es contradicción
que no cabe en un sujeto,
tanta muerte en una vida,   75
tanto dolor en un muerto.

Mas ya que es preciso, ¡ay triste!,
en mi infelice suceso,
ni vivir con la esperanza
ni morir con el tormento,   80

dame algún consuelo tú
en el dolor que padezco;
y quien en el suyo muere,
viva siquiera en tu pecho.

No te olvides que te adoro,   85

y sírvante de recuerdo
las finezas que me debes,
si no las prendas que tengo.
  Acuérdate que mi amor,
haciendo gala del riesgo,   90
sólo por atropellarlo
se alegraba de tenerlo.
  Y si mi amor no es bastante,
el tuyo mismo te acuerdo,
que no es poco empeño haber   95
empezado ya en empeño.
  Acuérdate, señor mío,
de tus nobles juramentos;
y lo que juró tu boca
no lo desmientan tus hechos.   100
  Y perdona si en temer
mi agravio, mi bien, te ofendo,
que no es dolor el dolor
que se contiene en lo atento.
  Y adiós, que, con el ahogo   105
que me embarga los alientos,
ni sé ya lo que te digo
ni lo que te escribo leo.

[26]

ROMANCILLOS HEXASÍLABOS

Endechas que discurren fantasías tristes de un ausente.

  Prolija Memoria,
permite siquiera
que por un instante
sosieguen mis penas.
  Afloja el cordel   5
que, según aprietas,

[26] (II, 1692, 349; MP, I, 188.)

temo que reviente
si das otra vuelta.
　Mira que si acabas
con mi vida, cesa   10
de tus tiranías
la triste materia.
　No piedad te pido
en aquestas treguas,
sino que otra especie   15
de tormento sea.
　Ni de mí presumas
que soy tan grosera
que la vida sólo
para vivir quiera.   20
　Bien sabes tú, como
quien está tan cerca,
que sólo la estimo
por sentir con ella,
　y porque, perdida,   25
perder era fuerza
un amor que pide
duración eterna.
　Por eso te pido
que tengas clemencia,   30
no porque yo viva,
sí porque él no muera.
　¿No basta cuán vivas
se me representan
de mi ausente cielo   35
las divinas prendas?
　¿No basta acordarme
sus caricias tiernas,
sus dulces palabras,
sus nobles finezas?   40
　¿Y no basta que,
industriosa, crezcas
con pasadas glorias
mis presentes penas,
　sino que (¡ay de mí!,   45

mi bien, ¿quién pudiera
no hacerte este agravio
de temer mi ofensa?),
 sino que, villana,
persuadirme intentas   50
que mi agravio es
posible que sea?
 Y para formarlo,
con necia agudeza,
concuerdas palabras,   55
acciones contextas:
 sus proposiciones
me las interpretas,
y lo que en paz dijo,
me sirve de guerra.   60
 ¿Para qué examinas
si habrá quien merezca
de sus bellos ojos
atenciones tiernas;
 si de otra hermosura   65
acaso le llevan
méritos más altos,
más dulces ternezas;
 si de obligaciones
la carga molesta   70
le obliga en mi agravio
a pagar la deuda?
 ¿Para qué ventilas
la cuestión superflua
de si es la mudanza   75
hija de la ausencia?
 Yo ya sé que es frágil
la naturaleza
y que su constancia
sola es no tenerla.   80

---

56 *Var.:* MP, *«contestas»*. *Contextas* por relación con «contexto, «contex-
tura», con el significado de «unir», «entretejer».
63 *Var.:* II, 1962, *«tus»*. Errata.

Sé que la mudanza
por puntos, en ella
es de su ser propio
caduca dolencia.
    Pero también sé   85
que ha habido firmeza;
que ha habido excepciones
de la común regla.
    Pues ¿por qué la suya
quieres tú que sea,   90
siendo ambas posibles,
de aquélla y no de ésta?
    Mas, ¡ay!, que ya escucho
que das por respuesta
que son más seguras   95
las cosas adversas.
    Con estos temores,
en confusa guerra,
entre muerte y vida
me tienes suspensa   100
    Ven a algún partido
de una vez, y acepta
permitir que viva
o dejar que muera.

[27]

LIRAS

*Expresa más afectuosa que con sutil cuidado, el sentimiento que pade-
ce una mujer amante de su marido muerto.*

    A estos peñascos rudos,
mudos testigos del dolor que siento,
que sólo siendo mudos

_____

[27] (Cast., 42; MP, I, 317; SR, 127.)
1-2 SJ sigue, a lo largo del poema, el tópico petrarquista de los lamentos

124

pudiera yo fiarles mi tormento,
si acaso de mis penas lo terrible   5
no infunde lengua y voz en lo insensible;
    quiero contar mis males,
si es que yo sé los males de que muero,
pues son mis penas tales
que si contarlas por alivio quiero,   10
le son una con otra atropellada,
dogal a la garganta, al pecho espada.
    No envidio dicha ajena,
que el mal eterno que en mi pecho lidia
hace incapaz mi pena   15
de que pueda tener tan alta envidia;
es tan mísero estado en el que peno
que como dicha envidio el mal ajeno.
    No pienso yo si hay glorias,
porque estoy de pensarlo tan distante,   20
que aun las dulces memorias
de mi pasado bien, tan ignorante
las mira de mi mal el desengaño,
que ignoro si fue bien, y sé que es daño.
    Esténse allá en su esfera   25
los dichosos, que es cosa en mi sentido
tan remota, tan fuera
de mi imaginación, que sólo mido
entre lo que padecen los mortales,
lo que distan sus males de mis males.   30
    ¡Quién tan dichosa fuera,
que de un agravio indigno se quejara!
¡Quién un desdén llorara!
¡Quién un alto imposible pretendiera!
¡Quién llegara de ausencia o de mudanza   35

---

extremos del amante que llora la ausencia del amado o el haber sido rechaza-
do por él. Con respecto a los vv. 1-2, MP (I, 557) recuerda la *Canción* II de
Garcilaso (vv. 27-9). Sobre el tópico, como ejemplos, pueden verse también
las *Églogas* I y III de Garcilaso y algunos poemas incluidos por Bernardo de
Balbuena en su *Siglo de Oro en las selvas de Erifile* (México, ed. Universidad Ve-
racruzana, 1989, págs. 80-82 y 85).

casi a perder de vista la esperanza!
  ¡Quién en ajenos brazos
viera a su dueño, y con dolor rabioso
se arrancara a pedazos
del pecho ardiente el corazón celoso!   40
Pues fuera menor mal que mis desvelos
el infierno insufrible de los celos.
  Pues todos estos males
tienen consuelo o tienen esperanza,
y los más son iguales,   45
solicitan o animan la venganza,
y sólo de mi fiero mal se aleja
la esperanza, venganza, alivio y queja.
  Porque, ¿a quién sino al cielo,
que me robó mi dulce prenda amada,   50
podrá mi desconsuelo
dar sacrílega queja destemplada?
Y él, con sordas, rectísimas orejas,
a cuenta de blasfemias, pondrá quejas.
  Ni Fabio fue grosero,   55
ni ingrato, ni traidor; antes, amante
con pecho verdadero,
nadie fue más leal ni más constante:
nadie más fino supo, en sus acciones,
finezas añadir a obligaciones.   60
  Solo el cielo, envidioso,
mi esposo me quitó; la parca dura,
con ceño riguroso,
fue solo autor de tanta desventura.
¡Oh cielo riguroso! ¡Oh triste suerte   65
que tantas muertes das con una muerte!
  ¡Ay dulce esposo amado!,
¿para qué te vi yo? ¿Por qué te quise,

---

62 *la parca dura:* las parcas, equivalente en Roma de las *moiras* griegas, rigen el destino del hombre. Se las representaba como tres hermanas hilande-
ras (bella y trágica imagen de la vida del hombre como un hilo que es corta-
do). SJ señala que son duras y rigurosas porque ni los propios dioses podían
cambiar el destino de los hombres, ya que éste estaba en sus manos.

y por qué tu cuidado
me hizo con las venturas, infelice?   70
¡Oh dicha, fementida y lisonjera,
quién tus amargos fines conociera!
    ¿Qué vida es esta mía
que rebelde resiste a dolor tanto?
¿Por qué, necia, porfía   75
y en las amargas fuentes de mi llanto,
atenuada, no acaba de extinguirse
si no puede en mi fuego consumirse?

[28]

REDONDILLAS

*Favorecida y agasajada, teme su afecto de parecer gratitud y no
fuerza.*

    Señora, si la belleza
que en vos llego a contemplar,
es bastante a conquistar
la más inculta dureza,
    ¿por qué hacéis que el sacrificio   5
que debo a vuestra luz pura,
debiéndose a la hermosura,
se atribuya al beneficio?
    Cuando es bien que glorias cante
de ser vos quien me ha rendido,   10
¿queréis que lo agradecido
se equivoque con lo amante?
    Vuestro favor me condena
a otra especie de desdicha,
pues me quitáis con la dicha   15
el mérito de la pena;
    si no es que dais a entender

---

[28] (Cast., 180; MP, I, 224; SR, 263.)
1 Se dirige a la marquesa de la Laguna.

que favor tan singular,
aunque se pueda lograr,
no se puede merecer.   20
    Con razón, pues la hermosura,
aun llegada a poseerse,
si llegara a merecerse,
dejara de ser ventura;
    que estar un digno cuidado   25
con razón correspondido,
es premio de lo servido
y no dicha de lo amado,
    que dicha se ha de llamar
sola la que, a mi entender,   30
ni se puede merecer
ni se pretende alcanzar,
    ya que este favor excede
tanto a todos, al lograrse,
que no sólo no pagarse,   35
mas ni agradecer se puede;
    pues desde el dichoso día
que vuestra belleza vi,
tan del todo me rendí,
que no me quedó acción mía;   40
    con lo cual, señora, muestro,
y a decir mi amor se atreve
que nadie pagaros debe
que vos honréis lo que es vuestro.
    Bien sé que es atrevimiento,   45
pero el amor es testigo
que no sé lo que me digo
por saber lo que me siento.
    Y en fin, perdonad por Dios,
señora, que os hable así,   50
que si yo estuviera en mí,
no estuvierais en mí vos.
    Sólo quiero suplicaros

33   *Var.:* MP, «*Y aqueste*».

que de mí recibáis hoy,
no sólo al alma que os doy,   55
mas las que quisiera daros.

[29]

Décimas

*Esmera su respectoso amor; habla con el retrato, y no calla con él, dos
veces dueño.*

Copia divina en quien veo
desvanecido al pincel,
de ver que ha llegado él
donde no pudo el deseo;
alto, soberano empleo   5
de más que humano talento;
exenta de atrevimiento,
pues tu beldad increíble,
como excede a lo posible,
no la alcanza el pensamiento.   10

¿Qué pincel tan soberano
fue a copiarte suficiente?
¿Qué numen movió la mente?
¿Qué virtud rigió la mano?
No se alabe el arte vano   15
que te formó peregrino;
pues en tu beldad convino
para formar un portento,
fuese humano el instrumento,
pero el impulso, divino.   20

---

[29] (Cast., 176; MP, I, 240; SR, 255.)

2 *desvanecido:* «envanecido; antigua acepción» (SR).

8 Se refiere SJ a la persona retratada, supuestamente la condesa de Paredes, a la que dedica las dos décimas anteriores en la edición de *Cast.*

Tan espíritu te admiro,
que cuando deidad te creo,
hallo el alma que no veo,
y dudo el cuerpo que miro;
todo el discurso retiro,   25
admirada en tu beldad
que muestra con realidad,
dejando el sentido en calma,
que puede copiarse el alma,
que es visible la deidad.   30

Mirando perfección tal
cual la que en ti llego a ver,
apenas puedo creer
que puedes tener igual;
y a no haber original   35
de cuya perfección rara
la que hay en ti se copiara,
perdida por tu afición,
segundo Pigmaleón,
la animación te impetrara.   40

Toco, por ver si escondido
lo viviente en ti parece;
¿posible es que de él carece
quien roba todo el sentido?
¿Posible es que no ha sentido   45
esta mano que le toca
y a que atiendas te provoca
a mis rendidos despojos?,

25-28   Tanto la actividad racional (el *discurso*) como la sensorial (el *senti-do:* los cinco sentidos corporales) quedan en ese momento en suspenso *(en calma).*

38   *afición:* el amor. SJ presenta su relación con la condesa, en el marco de la tópica amatoria, como el amante que se dirige a su amada. Desde un punto de vista denotativo la «afición» es, simplemente, amistad.

39   *Pigmaleón:* Pigmalión se enamoró de la escultura femenina que había hecho, y consiguió que Venus le diera vida (Ovidio, *Metamorfosis*).

45-46   *Var.:* MP, «*has* sentido / *te* toca».

¿que no hay luz en esos ojos?,
¿que no hay voz en esa boca?   50

Bien puedo formar querella
cuando me dejas en calma,
de que me robas el alma
y no te animas con ella;
y cuando altivo atropella   55
tu rigor, mi rendimiento,
apurando el sufrimiento,
tanto tu piedad se aleja,
que se me pierde la queja
y se me logra el tormento.   60

Tal vez pienso que, piadoso,
respondes a mi afición;
y otras teme el corazón
que te esquivas, desdeñoso.
Ya alienta el pecho, dichoso,   65
ya infeliz al rigor, muere,
pero, como quiera, adquiere
la dicha de poseer,
porque al fin en mi poder
serás lo que yo quisiere.   70

Y aunque ostentes el rigor
de tu original fiel,
a mí me ha dado el pincel,
lo que no puede el amor.
Dichosa vivo al favor   75
que me ofrece un bronce frío,
pues aunque muestres desvío,
podrás, cuando más terrible,

---

52   Lo señalado en los vv. 25-28.

61   *Tal vez:* unas veces...; «piadoso» se refiere al retrato.

76   *bronce frío:* en el siglo XVII era frecuente la pintura de retratos sobre lá-
minas de cobre. En el v. 73 SJ se declara autora del mismo, y no hay inconveniente para pensar que así fuera ya que sabemos que los hacía.

decir que eres imposible,
pero no que no eres mío.   80

[30]

ROMANCE

*Puro amor, que ausente y sin deseo de indecencias, puede sentir lo que
el más profano.*

Lo atrevido de un pincel,
Filis, dio a mi pluma alientos,
que tan gloriosa desgracia,
más causa corrió que miedo.
  Logros de errar por tu causa   5
fue de mi ambición el cebo;
donde es el riesgo apreciable,
¿qué tanto valdrá el acierto?
  Permite, pues, a mi pluma
segundo arriesgado vuelo,   10
pues no es el primer delito
que le disculpa el ejemplo.
  Permite escale tu alcázar
mi gigante atrevimiento,

---

79   *Var.:* MP, *«impasible»*.
[30]   (Cast., 189; MP, I, 54; SR, 272.)
1-2   Se refiere SJ a un retrato que había pintado de la virreina, doña María Luisa, marquesa de La Laguna (en la ed. de *Cast.* le dedica algunos poemas, que preceden a éste). Los nombres poéticos que SJ utilizó para nom-
brarla fueron los de Lisi y Filis.
3   «Desgracia» porque el retrato no podría nunca igualar al original, pero
«gloriosa» por el hecho mismo de pintar a la marquesa.
4   *Var.:* MP cambia *corrió* por *«ánimo»* y señala otros posibles cambios:
«brío», «gozo» (pág. 384). El sentido que le da al verso MP es correcto, al
convertir «causa» en verbo. El verso podría explicarse así: SJ no puede desa-
provechar la ocasión de hacer el retrato de la marquesa, aun sabiendo que no
hará justicia al modelo.
10   Se refiere SJ a la osadía del vuelo de Ícaro (primer vuelo).
13-20   SJ solicita permiso a la marquesa para escribir su elogio (vv. 13-
14) ya que antes aceptó el que le hiciese el retrato (vv. 17-20), aun sabiendo

que a quien tanta esfera bruma   15
no extrañará el Lilibeo:
    pues ya al pincel permitiste
querer trasladar tu cielo
en el que siendo borrón
quiere pasar por bosquejo.   20
    ¡Oh temeridad humana!,
¿por qué los rayos de Febo,
que aun se niegan a la vista,
quieres trasladar al lienzo?
    ¿De qué le sirve al sol mismo   25
tanta prevención de fuego,
si a refrenar osadías
aun no bastan sus consejos?
    ¿De qué sirve que, a la vista
hermosamente severo,   30
ni aun con la costa del llanto,
deje gozar sus reflejos,
    si locamente la mano,
si atrevido el pensamiento
copia la luciente forma,   35
cuenta los átomos bellos?
    Pues, ¿qué diré, si el delito
pasa a ofender el respeto
de un sol (que llamarlo sol
es lisonja del sol mesmo)?   40
    De ti, peregrina Filis,
cuyo divino sujeto
se dio por merced al mundo,

---

que ello es una osadía: tanto le abruma (*bruma*) su belleza y grandeza (*tanta esfera:* tan gran cielo) que bien merecería ser castigada como Júpiter hizo con los gigantes que intentaban escalar el Olimpo (sepultados por uno de los montes de Sicilia, el Lilibeo).

25-28   Faetón desobedeció a su padre, Febo (el Sol), conduciendo su carro, con las consecuencias bien conocidas.

38-40   Considera SJ a la marquesa como un sol, de modo que el verdadero Sol debe sentirse halagado. Si ya es una temeridad intentar pintar los rayos del sol (vv. 21-36), mayor osadía es el pretender describir a la marquesa (vv. 37-40).

se dio por ventaja al cielo;
  en cuyas divinas aras,   45
ni sudor arde sabeo,
ni sangre se efunde humana,
ni bruto se corta cuello,
  pues del mismo corazón
los combatientes deseos   50
son holocausto poluto,
son materiales afectos,
  y solamente del alma
en religiosos incendios,
arde sacrificio puro   55
de adoración y silencio.
  Éste venera tu culto,
éste perfuma tu templo;
que la petición es culpa,
y temeridad el ruego.   50
  Pues alentar esperanzas,
alegar merecimientos,
solicitar posesiones,
sentir sospechas y celos,
  es de bellezas vulgares,   65
indigno, bajo trofeo,
que en pretender ser vencidas
quieren fundar vencimientos.
  Mal se acreditan deidades
con la paga; pues es cierto   70
que a quien el servicio paga,
no se debió el rendimiento.
  ¡Qué distinta adoración
se te debe a ti, pues siendo
indignos aun del castigo,   75
mal aspirarán al premio!

---

46 *sudor sabeo:* el incienso que se obtenía al quemar las resinas de los árboles que lo producían en Saba (Arabia).

47 *Var.:* MP *«infunde».* La variante de MP es incorrecta. *Efundir:* derramar.

51 *poluto:* sucio, contaminado.

52 *afectos:* obligados, unidos.

Yo, pues, mi adorada Filis,
que tu deidad reverencio,
que tu desdén idolatro
y que tu rigor venero: 80
    bien así como la simple
amante que en tornos ciegos,
es despojo de la llama
por tocar el lucimiento;
    como el niño que, inocente,   85
aplica incauto los dedos
a la cuchilla, engañado
del resplandor del acero,
    y, herida la tierna mano,
aún sin conocer el yerro,   90
más que el dolor de la herida
siente apartarse del reo;
    cual la enamorada Clicie
que al rubio amante siguiendo,
siendo padre de las luces,   95
quiere enseñarle ardimientos;
    como a lo cóncavo el aire,
como a la materia el fuego,
como a su centro las peñas,
como a su fin los intentos;   100
    bien como todas las cosas
naturales, que el deseo
de conservarse las une
amante en lazos estrechos...
    Pero, ¿para qué es cansarse?   105
Como a ti, Filis, te quiero;
que en lo que mereces, éste
es solo encarecimiento.
    Ser mujer, ni estar ausente,

81-84   Se refiere a la mariposa.
92   La cuchilla es el reo porque ha cometido el delito de cortarle.
93   *Clicie:* la ninfa que se metamorfoseó en girasol para mirar siempre hacia el Sol (Apolo).
109-112   La pura amistad, que nada tiene que ver con lo sexual, a la que se refiere el epígrafe del poema.

no es de amarte impedimento,　　　　110
pues sabes tú que las almas
distancia ignoran y sexo.

Demás, que al natural orden
sólo le guardan los fueros
las comunes hermosuras,　　　　　115
siguiendo el común gobierno,

no la tuya, que gozando
imperiales privilegios,
naciste prodigio hermoso,
con exenciones de regio;　　　　　120

cuya poderosa mano,
cuyo inevitable esfuerzo,
para dominar las almas
empuñó el hermoso cetro.

Recibe un alma rendida,　　　　　125
cuyo estudioso desvelo
quisiera multiplicarla
por solo aumentar tu imperio;

que no es fineza, conozco,
darte lo que es de derecho　　　　130
tuyo; mas llámola mía
para dártela de nuevo,

que es industria de mi amor
negarte, tal vez, el feudo,
para que al cobrarlo dobles　　　　135
los triunfos, si no los reinos.

¡Oh, quién pudiera rendirte,
no las riquezas de Creso,
que materiales tesoros
son indignos de tal dueño,　　　　140

sino cuantas almas libres,
cuantos arrogantes pechos,
en fe de no conocerte
viven de tu yugo exentos!

Que quiso próvido Amor,　　　　145
el daño evitar, discreto,
de que en cenizas tus ojos
resuelvan el universo.

Mas, ¡oh libres desdichados,
todos los que ignoran, necios,   150
de tus divinos hechizos
el saludable veneno!

Que han podido tus milagros,
el orden contravirtiendo,
hacer el dolor amable,   155
y hacer glorioso el tormento.

Y si un filósofo, sólo
por ver al señor de Delos,
del trabajo de la vida
se daba por satisfecho,   160

¿con cuánta más razón yo
pagara el ver tus portentos,
no sólo a afanes de vida,
pero de la muerte a precio?

Si crédito no me das,   165
dalo a tus merecimientos,
que es, si registras la causa,
preciso hallar el efecto.

¿Puedo yo dejar de amarte
si tan divina te advierto?   170
¿Hay causa sin producir?
¿Hay potencia sin objeto?

Pues siendo tú el más hermoso,
grande, soberano, excelso,
que ha visto en círculos tantos   175
el verde torno del tiempo,

¿para qué mi amor te vio?,
¿por qué mi fe te encarezco
cuando es cada prenda tuya
firma de mi cautiverio?   180

Vuelve a ti misma los ojos,
y hallarás, en ti y en ellos,
no sólo el amor posible,

_____

158   El principal templo dedicado a Apolo fue el de Delos.
174   *Var.*: MP «soberano excelso».
176   El «tiempo» gira y siempre es joven.

mas preciso el rendimiento,
 entre tanto que el cuidado,   185
en contemplarte suspenso,
que vivo, asegura, sólo
en fe de que por ti muero.

[31]

REDONDILLAS

Al retrato de una decente hermosura, la marquesa de la Laguna.

 Acción, Lisi, fue acertada
el permitir retratarte,
pues ¿quién pudiera mirarte,
si no es estando pintada?
 Como de Febo el reflejo   5
es tu hermoso rosicler,
que para poderlo ver
lo miran en un espejo.
 Así, en tu copia, advertí
que el que llegare a mirarte   10
se atreverá a contemplarte
viendo que estás tú sin ti.
 Pues aun pintada, severa
esa belleza sin par,
muestra que para matar   15
no te has menester entera:
 pues si el resplandor inflama
todo lo que deja ciego,
fuera aventurar el fuego
desautorizar la llama.   20
 Que en tu dominio absoluto,
por más soberano modo,
para sujetarlo todo
basta con un substituto.

---

[31] (II, 1692, 303; MP, I, 221.)

Pues ¿qué gloria en la conquista   25
del mundo pudiera haber
si te costara el vencer
la indecencia de ser vista?

Porque aunque siempre se venza,
como es victoria tan baja,   30
conseguida con ventaja,
más es que triunfo, vergüenza;

pues la fuerza superior
que se emplea en un rendido,
es disculpa del vencido   35
y afrenta del vencedor.

No es la malla y el escudo
seña del valor subido,
porque un pecho muy vestido
muestra un corazón desnudo;   40

y del muy armado, infiero
que, con recelo y temor,
se desnuda del valor
cuando se viste de acero.

Y así era hacer injusticia   45
a tu decoro y grandeza
si triunfara tu belleza
donde basta tu noticia.

Amor, hecho tierno Apeles,
en tan divina pintura,   50
para pintar tu hermosura
hizo las flechas pinceles.

Mira si matará verte
formada tan homicida:
que es cada línea una herida   55
y cada rasgo una muerte.

Y no fue de Amor locura
cuando te intentó copiar:
pues quererte eternizar
no fue agraviar tu hermosura: 60

---

49 *Apeles:* uno de los más célebres pintores de la Antigüedad. Vivió en
Grecia en el siglo IV.

que estatua, que a la beldad
se le erige por grandeza,
si no copia la belleza,
representa la deidad.

Pues es rigor, si se advierte,   65
que, en tu copia singular,
estés capaz de matar
e incapaz de condolerte.

¡Oh tú, bella copia dura,
que ostentas tanta crueldad,   70
concédete a la piedad
o niégate a la hermosura!

¿Cómo, divino imposible,
siempre te muestras, airada,
para dar muerte, animada;   75
para dar vida, insensible?

¿Por qué, hermosa pesadumbre,
de una humilde voluntad,
ni dejas la libertad
ni aceptas la servidumbre?   80

Pues porque en mi pena entienda
que no es amarte servicio,
violentas al sacrificio
y no agradeces la ofrenda.

Tú despojas de la vida   85
y purgas la sinrazón,
por la falta de intención,
del delito de homicida.

En tan supremo lugar
exenta quieres vivir,   90
que aun no te tiene el rendir
la costa de despreciar.

Desprecia siquiera, dado
que aun eso tendrán por gloria:
porque el desdén ya es memoria   95
y el desprecio ya es cuidado.

Mas ¿cómo piedad espero
si descubro, en tus rigores,
que con un velo de flores

cubres una alma de acero?   100
   De Lisi imitas las raras
facciones; y en el desdén
¿quién pensara que también
su condición imitaras?
   ¡Oh Lisi, de tu belleza   105
contempla la copia dura,
mucho más que en la hermosura
parecida en la dureza!
   Vive, sin que el tiempo ingrato
te desluzca; y goza, igual,   110
perfección de original
y duración de retrato.

Poemas de circunstancias

[32]

SONETO

En la muerte de la excelentísima señora marquesa de Mancera.

De la beldad de Laura enamorados
los cielos, la robaron a su altura,
porque no era decente a su luz pura,
ilustrar estos valles desdichados;
    o porque los mortales, engañados   5
de su cuerpo en la hermosa arquitectura,
admirados de ver tanta hermosura,
no se juzgasen bienaventurados.
    Nació donde el oriente el rojo velo
corre, al nacer al astro rubicundo,   10
y murió donde, con ardiente anhelo,
    da sepulcro a su luz el mar profundo;
que fue preciso a su divino vuelo,
que diese como sol la vuelta al mundo.

---

[32]   (Cast., 156; MP, I, 299; SR, 226.)
9-12   Nació en España (el oriente respecto a América) y murió en Tepea-
ca, cuando se dirigía hacia Veracruz para embarcar hacia España, en abril
de 1674.

[33]

SONETO

A la muerte del excelentísimo señor duque de Veragua.

¿Ves, caminante? En esta triste pira
la potencia de Jove está postrada;
aquí Marte rindió la fuerte espada,
aquí Apolo rompió la dulce lira;
    aquí Minerva, triste, se retira;   5
y la luz de los astros, eclipsada,
toda está en la ceniza venerada
del excelso Colón que aquí se mira.
    Tanto pudo la fama encarecerlo
y tanto las noticias sublimarlo,   10
que sin haber llegado a conocerlo
    llegó con tanto extremo el reino a amarlo,
que muchos ojos no pudieron verlo,
mas ningunos pudieron no llorarlo.

[34]

ROMANCE

*Celebra el cumplir años la señora virreina con un retablito de marfil
del nacimiento, que envía a su excelencia.*

Por no faltar, Lisi bella,
al inmemorial estilo
que es del cortesano culto

---

[33]   (Cast., 210; MP, I, 301; SR, 301.)
Título: virrey de la Nueva España. Murió el 13 de diciembre de 1673.
8   Era descendiente del descubridor.
12   *Var.:* Cast., «el rey». Errata.
[34]   (Cast., 22; MP, I, 50; SR, 106.)

el más venerado rito,
   que a foja primera manda   5
que el glorioso natalicio
de los príncipes celebren
obsequiosos regocijos,
   te escribo; no porque al culto
de tus abriles floridos,   10
pueda añadir el afecto
más gloria que hay en sí mismos,
   que en la grandeza de tuyos
verá el menos advertido,
que de celebrar tus años,   15
sólo son tus años dignos,
   sino porque ceremonias,
que las aprueba el cariño,
tienen en lo voluntario
vinculado lo preciso,   20
   que cuando apoya el amor
del respecto los motivos,
es voluntad del respecto
el que es del amor oficio.
   Rompa, pues, mi amante afecto   25
las prisiones del retiro,
no siempre tenga el silencio
el estanco de lo fino,
   deje, a tu deidad atento,
en aumentos bien nacidos,   30
con las torpezas de ciego,
las balbuciencias de niño
   y muestre, pues tiene ser

---

5   En la época de SJ se prefiere «foja» a «hoja» para la mención de un texto escrito.

17-24   SJ hace el elogio de la marquesa no sólo por cumplir con un obligado acto cortesano, sino por la veneración o acatamiento (*«respecto»*) que siente hacia ella. MP moderniza *«respeto»*.

28   *estanco:* monopolio, en términos comerciales. *De lo fino* equivale a «fineza», actitud típicamente cortesana.

29-36   El afecto y amistad de SJ es proporcional a los méritos de la marquesa, a diferencia del caprichoso amor que representa Cupido.

en tus méritos altivos,
que de padres tan gigantes   35
no nacen pequeños hijos.
    Y añadiendo lo obstinado
a la culpa de atrevido,
haga bienquista la ofensa
lo garboso del delito;   40
    y en tan necesaria culpa
encuentre el perdón propicio,
el que no ofende quien yerra,
si yerra sin albedrío.
    Tan sin él, tus bellos rayos   45
voluntaria Clicie sigo,
que lo que es mérito tuyo
parece destino mío.
    Pero, ¿a dónde enajenada
tanto a mi pasión me rindo,   50
que acercándome a mi afecto,
del asunto me desvío?
    Retira allá tu belleza
si quieres que cobre el hilo,
que mirándola no puedo   55
hablar más que en lo que miro.
    Y pues sabes que mi amor,
alquimista de sí mismo,
quiere transmutarse en vida
porque vivas infinito;   60
    y que porque tú corones
a los años con vivirlos,
quisieran anticiparse
todos los futuros siglos;
    no tengo qué te decir,   65
sino que yo no he sabido
para celebrar el tuyo,
más que dar un «natalicio».
    Tu nacimiento festejan

_____

46 *Clicie:* cfr. poema núm. 30, v. 93.
68 Alusión al regalo que se señala en el título del poema.

tiernos afectos festivos,   70
y yo en fe de que lo aplaudo,
el «nacimiento» te envío.
    Consuélame que ninguno
de los que te dan rendidos
podrá ser mejor que aquéste,   75
aunque se ostente más rico.
    De perdones y de paces
fue aqueste natal divino;
dé perdones y haga paces
el haber hoy tú nacido.   80
    Y guárdete por asombro
quien te formó por prodigio,
y hágate eterna, pues puede,
quien tan bella hacerte quiso.

[35]

ROMANCE

No habiendo logrado una tarde ver al señor virrey, marqués de la
Laguna, que asistió en las Vísperas del convento, le escribió este
romance.

    Si daros los buenos años,
señor, que logréis felices,
en las Vísperas no pude,
recibidlos en Maitines.
    Nocturna, mas no funesta,   5
de noche mi pluma escribe,
pues para dar alabanzas,

_____

[35]   (Cast., 37; MP, I, 45; SR, 122.)
    1   MP señala que se trata del tercer cumpleaños del marqués en la Nueva
España (1682).
    3-4 y 8   Se alude a diversas partes del Oficio Divino y a las denominadas
«horas canónicas»: *Vísperas,* a la puesta del sol; *Maitines,* la primera de las «horas», antes de la salida del sol; *Laudes,* seguía a la de Maitines, inmediatamen-
te antes del amanecer.

hora de Laudes elige.
    Valiente amor contra el suyo
hace, con dulces ardides,   10
que para daros un día,
a mí una noche me quite.
    No parecerá muy poca
fineza, a quien bien la mire,
el que vele en los romances,   15
quien se duerme en los latines.
    Lo que tuviere de malo
perdonad, que no es posible
suplir las purpúreas horas
las luces de los candiles;   20
    y más del mío, que está
ya tan *in agone,* el triste,
que me moteja de loca,
aunque me acredita virgen.
    Mas ya de prólogo basta,   25
porque es cosa incompatible
en el prólogo alargarse
y en el asunto ceñirse.
    Gocéis los años más largos
que esperanza de infelice,   30
y más gustosos que el mismo
la ajena dicha concibe.
    Pasen por vos las edades
con pasos tan insensibles,
que el aspecto los desmienta   35
y el juicio los multiplique.
    Vuestras acciones heroicas
tanto a la fama fatiguen
que de puro celebraros

---

11   *daros un día:* felicitaros.
16   Los cantos en latín del Oficio Divino.
21-24   *in agone:* en agonía, por falta de aceite. Referencia a la parábola de
las «vírgenes locas» (San Mateo, XXV). (Las vírgenes necias que llegaron
tarde a las bodas por haberse quedado sus lámparas sin aceite.)
29-32   SR alude al refrán: «Más largo que esperanza de pobre.»

se enronquezcan los clarines,   40
   y sus vocingleros ecos
tan duradero os publiquen,
que Matusalén os ceda
y que Néstor os envidie.

   Vivid, y vivid discreto,   45
que es sólo vivir felice:
que dura, y no vive, quien
no sabe apreciar que vive.

   Si no sabe lo que tiene
ni goza lo que recibe,   50
en vano blasona el jaspe
el don de lo incorruptible.

   No en lo diuturno del tiempo
la larga vida consiste;
tal vez las canas del seso   55
honran años juveniles.

   El agricultor discreto
no espera a que fructifique
el tiempo; porque la industria
hace otoños los abriles.   60

   No sólo al viento la nave
es bien que su curso fíe
si el ingenio de los remos
animadas velas finge.

   En progresos literarios   65
pocos laureles consigue,
quien para estudiar espera
a que el sol su luz envíe.

   Las canas se han de buscar
antes que el tiempo las pinte;   70
que al que las pretende, alegran,
y al que las espera, afligen.

   Quien para ser viejo espera
que los años se deslicen,

---

45 A Néstor, rey de Pilos, le atribuye Homero trescientos años cuando
participó en la guerra de Troya.
53 *diuturno:* que dura mucho tiempo.

ni conserva lo que tiene   75
ni lo que espera consigue,
   con lo cual casi a no ser
viene el necio a reducirse;
pues ni la vejez le llega
ni la juventud le asiste.   80
   Quien vive por vivir sólo,
sin buscar más altos fines,
de lo viviente se precia,
de lo racional se exime,
   y aun de la vida no goza;   85
pues si bien llega a advertirse,
el que vive lo que sabe,
sólo sabe lo que vive.
   Quien llega necio a pisar
de la vejez los confines,   90
vergüenza peina y no canas,
no años, afrentas repite.
   En breve: el prudente joven
eterno padrón erige
a su vida, y con su fama   95
las eternidades mide.
   Ningún espacio de tiempo
es corto al que no permite
que los instantes más breves
el ocio le desperdicie.   100
   Al que todo el tiempo logra,
no pasa la edad fluxible,
pues viniendo la presente,
de la pasada se sirve.
   Tres tiempos vive el que atento,   105
cuerdo, lo presente rige,
lo pretérito contempla

87-88   Sólo el que es consciente de su propia vida, la aprovecha.
   94   *padrón:* monumento.
   102   *fluxible:* que fluye, que pasa. El que aprovecha el tiempo, no desper-
dicia los años pasados.
   103   *Var.:* MP, «*viviendo*».

y lo futuro predice.

   ¡Oh vos, que estos documentos
tan bien practicar supisteis   110
desde niño que ignorasteis
las ignorancias pueriles!

   Tanto, que hasta ahora están
quejosos de vos los dijes,
que, a invasiones fascinantes   115
fueron muros˙ invencibles,

   de que nunca los tratasteis;
y el mismo clamor repiten
trompos, bolos y paletas,
máscaras y tamboriles;   120

   pues en la niñez mostrasteis
discursos tan varoniles,
que pudo en vuestras niñeces
tomar liciones Ulises.

   Recebid este romance   125
que mi obligación os rinde,
con todo lo que no digo,
lo que digo y lo que *dije*.

[36]

ROMANCE

*Habiendo ya baptizado su hijo, da la enhorabuena de su nacimiento a
la señora virreina.*

No he querido, Lisi mía,
enviarte la enhorabuena
del hijo que Dios te dio,
hasta que a Dios lo volvieras;

---

114   *dijes:* juguetes.
124   Ulises, símbolo de la prudencia.
[36]   (Cast., 63; MP, I, 71; SR, 147.)
Título: fue bautizado el 14 de julio de 1683.

que en tu religión, señora,   5
aunque tu beldad lo engendra,
no querrás llamarle tuyo,
menos que de Dios lo sea.

Crédito es de tu piedad,
que naciendo su excelencia   10
legítimo, tú le quieres
llamar hijo de la Iglesia;

habiendo nacido a luz,
hasta que le amaneciera
la de la gracia, no estimes   15
la de la naturaleza.

Gócesle en ella mil siglos
con tan cristiana pureza,
que aumente la que recibe
y la adquirida no pierda.   20

Mires en su proceder
de piedad y de grandeza,
lo que en Alejandro, Olimpias,
lo que en Constantino, Elena.

Enlace, con puesto heroico,   25
de las armas y las letras,
a los laureles de Marte,
las olivas de Minerva.

Crezca gloria de su patria
y envidia de las ajenas,   30
y América, con sus partes,
las partes del orbe venza.

En buena hora al occidente
traiga su prosapia excelsa,

---

12   En las partidas de bautismo se anotaban como «hijos de la Iglesia» a
los de padres desconocidos o ilegítimos. SJ juega con ese equívoco.
17   *gócesle en ella:* en la luz de la gracia.
23-24   Olimpias, madre de Alejandro, y Santa Elena, madre del empera-
dor Constantino.
25   *Var.:* MP, *«compuesto».*
28   *Minerva:* Palas Atenea, hija de Júpiter, símbolo de la sabiduría e inventora de las artes y las ciencias. Uno de sus atributos es el olivo.
31   *partes:* las virtudes o cualidades del recién nacido.

que es Europa estrecha patria   35
a tanta familia regia.
    Levante América ufana
la coronada cabeza,
y el águila mejicana
el imperial vuelo tienda.   40
    Pues ya en su alcázar real
donde yace la grandeza
de gentiles Moctezumas,
nacen católicos Cerdas.
    Crezca ese amor generoso,   45
y en el valor y belleza,
pues de Marte y Venus nace,
a Marte y Venus parezca.
    Belona le dé las armas,
Amor le ofrezca las flechas,   50
ríndale Alcides la clava,
Apolo le dé la ciencia.
    Crezca ese nuevo Alejandro,
viva ese piadoso Eneas,
dure ese mejor Pompilio,   55
campe ese heroico Mecenas.
    Que el haber nacido en julio
no fue acaso, que fue fuerza,
siendo príncipe tan grande,
que naciese Julio César.   60
    Ya imagino que le miro
en la edad pueril primera,
pasarse por la cartilla

---

44 *Cerdas:* «Cerda» es apellido de la familia de los marqueses de la Laguna.

49 *Belona:* diosa de la guerra.

51 *Alcides:* Hércules.

55-56 *Pompilio:* Numa Pompilio, primer rey y legislador de Roma. *Mecenas:* noble romano, de la época de Augusto, protector de Virgilio y Horacio.

63 *Var.:* MP, *«pastarse»*. La «cartilla» o primer libro en la escuela, también llamado «el catón», en recuerdo del romano Porcio Catón, célebre por su integridad.

hasta que un Catón parezca,
y ya en la que los romanos,   65
teniéndola por provecta,
a viril toga trocaban
las bulas, y la pretexta.

Aquí sí que le verán
el valor y la elocuencia,   70
admirando las campañas,
coronando las escuelas.

Aquí sí que, confundidas,
el mundo verá en su diestra,
a los rasgos de la pluma,   75
de la espada las violencias.

Aquí sí que han de llamarle
las profesiones opuestas,
por su prudencia, la paz,
y por su valor, la guerra.   80

Aquí sí que el mejor Julio
de erudición y prudencia,
coronista de sí mismo,
escribirá sus proezas.

Aquí sí que se ha de ver   85
una maravilla nueva,
de añadir más a lo más,
de que lo máximo crezca.

Aquí sí que si yo vivo,
aunque esté ya con muletas,   90
piensa mi musa a su fama
añadir plumas y lenguas.

Y aquí ceso de escribirte,

65-68   *provecta:* «que ha aprovechado en alguna cosa» (*Dic. Aut.*). Se refiere a la juventud, cuando al joven se le cambiaba el vestido de la infancia (la
«pretexta») y los medallones que llevaba para protegerse de los hechizos («bulas») por la «toga».

81   *Julio:* Julio César.

88   *Var.:* MP «de que *el Mejicano* crezca». SR informa que las ediciones antiguas posteriores a Cast. vacilan entre una y otra lectura. La «maravilla»
consiste en que el nuevo marqués, habiendo nacido ya tan «grande», aún
acreciente más esa grandeza.

pues para toda esta arenga
en que viva eternidades   95
el niño, y tú que las veas.

[37]

ROMANCE

*Con ocasión de celebrar el primer año que cumplió el hijo del señor vi-
rrey, le pide a su excelencia indulto para un reo.*

Gran marqués de la Laguna,
de Paredes conde excelso,
que en la cuna reducís
lo máximo a lo pequeño;
fondo diamante que arroja   5
tantos esplendores regios
que en poca cantidad cifra
el valor de muchos reinos:
Yo, señor, una criada
que sabréis, andando el tiempo   10
y andando vos, desde ahora
para entonces os prevengo
que sepáis que os quise tanto
antes de ser, que primero
que de vuestra bella madre,   15
nacistes de mi concepto,
y que le hice a Dios por vos
tantas plegarias y ruegos,

---

94   *para:* del verbo parar.

[37]   (Cast., 113; MP, I, 74; SR, 211.)

Título: el cumpleaños fue el 5 de julio de 1684. El reo, según anota SR, «es
"el Tapado" Benavides, enigmático aventurero, quien ya había sido condenado a muerte, pero no ejecutado. (Lo fue el 12 del mismo mes y año)». Desconocemos el motivo de la intervención de SJ en este asunto.

1   Se refiere al hijo del virrey, y hasta el final del poema.

5   *fondo:* «en los diamantes son los brillos interiores y profundos, y la
transparencia que se causa por su fineza y perfección» *(Dic. Aut.).*

que a cansarse el Cielo, juzgo
que hubiera cansado al Cielo.   20
     ¡Cuánto deseé el que salierais
de ser mental compañero
de las criaturas posibles
que ni serán, son, ni fueron!
     Ana por Samuel no hizo   25
más visajes en el templo,
dando qué pensar a Helí,
que los que por vos he hecho.
     No dejé santo ni santa
de quien con piedad creemos   30
que de impetrar sucesiones
obtienen el privilegio,
     que no hiciera intercesora,
que no hiciera medianero,
porque os sacase de idea   35
al ser, el Poder Supremo.
     Salistes, en fin, a luz,
con aparato tan bello,
que en vuestra fábrica hermosa
se ostentó el saber inmenso.   40
     Pasóse aquella agonía,
y sucedióle al deseo
(que era de teneros antes),
el cuidado de teneros.
     Entró con la posesión   45
el gusto, y al mismo tiempo
el desvelo de guardaros
y el temor de no perderos.
     ¡Oh, cuántas veces, señor,
de experiencia conocemos   50

25-28   Referencia bíblica. Los «visajes» se refiere a los movimientos de
los labios de Ana, mientras oraba en silencio, y que fueron mal interpretados
por su esposo Helí como signo de embriaguez.
48   Anota MP que el 26 de enero de 1684 el hijo del virrey estaba enfer-
mo, «y el temor se agravaba con los precedentes: los dos hijos anteriores de la
Marquesa, muertos de días o meses».

que es más dicha una carencia
que una posesión con riesgo!
    Dígolo porque en los sustos
que me habéis dado y los miedos,
bien puedo decir que tanto   55
como me costáis, os quiero.
    ¿Cuántas veces ha pendido
de lo débil de un cabello,
de vuestra vida, mi vida,
de vuestro aliento, mi aliento?   60
    ¿Qué achaque habéis padecido,
que no sonase, aun primero
que en vuestra salud el golpe,
en mi corazón el eco?
    El dolor de vuestra madre,   65
de vuestro padre el desvelo,
el mal que pasabais vos
y el cariño que yo os tengo,
    todo era un cúmulo en mí
de dolor, siendo mi pecho   70
de tan dolorosas líneas
el atormentado centro.
    En fin, ya, gracias a Dios,
habemos llegado al puerto,
pasando vuestra edad todo   75
el océano del cielo.
    Ya habéis visto doce signos,
y en todos, Alcides nuevo,
venciendo doce trabajos
de tantos temperamentos;   80
    ya, hijo luciente del Sol,
llevando el carro de Febo,
sabéis a Flegón y Eonte
regir los fogosos frenos;
    ya al León dejáis vencido,   85
ya al Toro dejáis sujeto,

───────────

76 Habiendo transcurrido un año.
83 Los dos caballos que Faetón no supo controlar.

ya al Cáncer sin la ponzoña
y al Escorpión sin veneno;
sin flechas al Sagitario,
hollando de Aries el cuello,   90
a Géminis envidioso,
y a Acuario dejáis sediento;
enamorada a la Virgen,
a los Peces dejáis presos,
al Capricornio rendido   95
y a Libra inclinado el peso.
     Ya habéis experimentado
la variedad de los tiempos,
que divide en cuatro partes
la trepidación del cielo: 100
florida, a la primavera,
al estío, macilento,
con su sazón, al otoño,
y con su escarcha, al invierno.
     Ya sabéis lo que es vivir;   105
pues, dado un círculo entero
a vuestra dichosa edad,
quien hace un año, hará ciento.
     Ya, en fin, de nuestro natal,
¿natal dije? ¡Qué gran yerro!   110
¡Que este término me roce
las cuerdas del instrumento!
     Pero habiendo de ser años,
¿qué término encontrar puedo
que no sea, años, edad,   115
natalicio o nacimiento?
     Perdonad, señor, y al caso
un chiste contaros quiero,

---

100   El cielo trepida a causa del roce de las «esferas celestes», teoría que
SJ utiliza frecuentemente en sus poemas.
101-104   *Var.:* MP suprime la preposición «*a*».
108   MP y SR: alusión al refrán «quien hace un cesto, hará ciento».
109   *Var.:* MP, «*vuestro*».
110   En tono humorístico (que continúa hasta el v. 136) SJ alude al abuso de este término.

que a bien que todas las coplas
son una cosa de cuento: 120
    predicaba un cierto quídam
los sermones de san Pedro
muchos años, y así casi
siempre decía uno mesmo;
    murmuróle el auditorio   125
lo rozado en los conceptos,
y avisóselo un amigo
con caritativo celo;
    y él respondió: —«Yo mudar
discurso ni asunto puedo,   130
mientras nuestra madre Iglesia
no me mude el Evangelio.»
    Este es el cuento, que puede
ser que gustéis de saberlo,
y si no os agrada, dadlo   135
por no dicho y por no hecho.
    Lo que ahora nos importa
es, fresco pimpollo tierno,
que viváis largo y tendido,
y que crezcáis bien y recio.   140
    Que les deis a vuestros padres
la felicidad de veros
hecho unión de sus dos almas,
visagra de sus dos pechos.
    Que se goce vuestra madre   145
de ser, en vuestros progresos,
la Leda de tal Apolo,
de tal Cupido, la Venus.
    Que den sucesión dichosa
a quien sirvan los imperios,   150
a quien busquen las coronas,

---

141   *Var.:* MP, *«le».*
147   Error de SJ: en vez de Leda, debería venir Letona, la madre de
Apolo.
149   *Var.:* MP *«que deis».* SR señala que «el "den" puede referirse a "vuestros progresos" del v. 146».

a quien aclamen los cetros.
            Que mandéis en la Fortuna,
siendo en sus opuestos ceños,
el móvil de vuestro arbitrio   155
el eje de su gobierno.
            Creced Adonis y Marte,
siendo, en belleza y esfuerzo
de la corte y la campaña,
el escudo y el espejo.   160
            Y pues es el fausto día
que se cumple el año vuestro,
de dar perdón al convicto
y dar libertad al preso:
            dad la vida a Benavides,   165
que aunque sus delitos veo,
tiene *parces* vuestro día
para mayores excesos.
            A no haber qué perdonar,
la piedad que ostenta el Cielo   170
ocioso atributo fuera,
o impracticable, a lo menos.
            A Herodes en este día
pidió una mujer por premio,
que al sagrado precursor   175
cortase el divino cuello;
            fue la petición del odio,
de la venganza el deseo,
y ejecutó la crueldad
de la malicia el precepto.   180
            Vos sois príncipe cristiano,
y yo, por mi estado, debo
pediros lo más benigno,
y vos no usar lo sangriento.

153-56   Que sea vuestro juicio el que se imponga sobre la caprichosa
Fortuna («opuestos ceños»).
    167   *parce:* «la cédula que dan los maestros de gramática a los discípulos,
en premio, por la cual se les perdona el castigo» *(Dic. Aut.)*.
    175   San Juan Bautista.

Muerte puede dar cualquiera;   185
vida, sólo puede hacerlo
Dios; luego sólo con darla
podéis a Dios pareceros.
    Que no es razón que en el día
genial de vuestros obsequios   190
queden manchadas las aras
ni quede violado el templo.
    Y a Dios, que os guarde, señor,
que el decir que os guarde, creo,
que para con Dios y vos   195
es petición y es requiebro.

[38]

ROMANCE

*Debió la austeridad de acusarla tal vez el metro; y satisface, con
el poco tiempo que empleaba en escribir a la señora virreina, las
Pascuas.*

Daros las Pascuas, señora,
es en mi gusto y es deuda:
el gusto, de parte mía;
y la deuda, de la vuestra.
    Y así, pese a quien pesare   5
escribo, que es cosa recia,
no importando que haya a quien
le pese lo que no pesa.
    Y bien mirado, señora,
decid, ¿no es impertinencia   10

---

[38]   (Cast., 185; MP, I, 92; SR, 270.)
    Título: autojustificación de SJ, ante las críticas («austeridad») por dedicarse
a escribir poesía, aludiendo al poco tiempo que emplea en ello.
    1   Se trata de la condesa de Paredes.
    2   *Var.:* MP: «es mi gusto y es *mi* deuda».
    8   *lo que no pesa* porque es poesía ligera y fácil de escribir para SJ.

querer pasar malos días
porque yo os dé noches buenas?

Si yo he de daros las Pascuas,
¿qué viene a importar que sea
en verso o en prosa, o con   15
estas palabras o aquéllas?

Y más cuando en esto corre
el discurso tan apriesa,
que no se tarda la pluma
más que pudiera la lengua.   20

Si es malo, yo no lo sé;
sé que nací tan poeta,
que azotada, como Ovidio,
suenan en metro mis quejas.

Pero dejemos aquesto,   25
que yo no sé cuál idea
me llevó, insensiblemente,
hacia donde non debiera.

Adorado dueño mío,
de mi amor divina esfera,   30
objeto de mis discursos,
suspensión de mis potencias;

excelsa, clara María,
cuya sin igual belleza
sólo deja competirse   35
de vuestro valor y prendas:

tengáis muy felices Pascuas,
que aunque es frase vulgar ésta,
¿quién quita que pueda haber
vulgaridades discretas?;   40

que yo para vos no estudio,
porque de amor la llaneza
siempre se explica mejor

---

12   Le felicita las Pascuas de Navidad, «nochebuena».
22-24   A SJ le ocurría lo mismo que Ovidio relata en sus *Tristes* (IV, eleg. X), que su facilidad para versificar era innata.
28   *Var.:* MP, «*no*». Sin embargo, era correcto utilizar el arcaísmo «non», seguramente en este caso con un matiz de intensificación.

con lo que menos se piensa.
Y dádselas de mi parte,   45
gran señora, a su excelencia,
que si no sus pies, humilde,
beso la que pisan tierra.
Y al bellísimo Josef,
con amor y reverencia   50
beso las dos, en que estriba,
inferiores azucenas.
Y a vos beso del zapato
la más inmediata suela,
que con este punto en boca   55
solo, callaré contenta.

[39]

ROMANCE DECASÍLABO

Pinta la proporción hermosa de la excelentísima señora condesa de Pa-
redes, con otra de cuidados, elegantes esdrújulos, que aún le remite des-
de Méjico a su excelencia.

Lámina sirva el cielo al retrato,
Lísida, de tu angélica forma;
cálamos forme el sol de sus luces,
sílabas las estrellas compongan.
Cárceles tu madeja fabrica: 5

---

49   Se refiere al hijo de la marquesa, nacido en julio de 1683. El poema
podría corresponder a las navidades de ese año.
52   Alusión a los pies del niño, sobre los que se levanta («estriba»).
[39]   (Cast., 200; MP, I, 171; SR, 286.)
Inusual composición, caracterizada por el trisílabo esdrújulo inicial, con la
que SJ da una muestra representativa de la técnica culta del Barroco. Ese tipo
de acentuación sólo se había utilizado anteriormente de forma parcial en un
poema, por lo que ésta y otras composiciones idénticas de SJ se convirtieron
en modélicas.
2   *Lísida:* Lisi, es decir, la condesa de Paredes.
3   *cálamos:* las plumas con que se escribe o dibuja.
5   *madeja:* se refiere al cabello.

dédalo que sutilmente forma
vínculos de dorados ofires,
tíbares de prisiones gustosas.
Hécate, no triforme, mas llena,
pródiga de candores asoma,   10
trémula no en tu frente se oculta,
fúlgida su esplendor desemboza.
Círculo dividido en dos arcos,
pérsica forman lid belicosa:
áspides que por flechas disparas,   15
víboras de halagüeña ponzoña.
Lámparas, tus dos ojos, febeas,
súbitos resplandores arrojan;
pólvora que a las almas que llega,
tórridas abrasadas transforma.   20
Límite, de una y otra luz pura,
último, tu nariz judiciosa,
árbitro es entre dos confinantes,
máquina que divide una y otra.
Cátedras del abril, tus mejillas,   25
clásicas, dan a mayo, estudiosas,
método a jazmines nevados,
fórmula rubicunda a las rosas.
Lágrimas del aurora congela,
búcaro de fragancias, tu boca;   30
rúbrica con carmines escrita,

7-8   *ofires:* plural de Ofir, que, según se menciona en la Biblia, era un lugar de las costas asiáticas de donde las flotas de Salomón traían oro y maderas
y otros objetos preciosos. Tibar era también otro lugar mítico, en el centro de
África, de donde se obtenía oro.

9   *Hécate:* divinidad misteriosa, llena de simbolismos. Sus tres rostros, a
veces, representaban a la luna, que protegía el nacimiento, a Diana, que con-
servaba los días, y a sí misma, que los terminaba. SJ se refiere, simplemente, a
la luna llena.

13-16   La frente («círculo») finaliza en las cejas («arcos») que, por comparación
con los famosos arqueros persas, disparan miradas que matan de amor.

20   *tórridas:* la zona tórrida de la Tierra. Hoy diríamos «transforma en».

21-24   La nariz, como un juez, pone paz entre las mejillas («confinantes»).

29   Metáfora múltiple: las lágrimas de la aurora son como perlas y éstas
representan a los dientes.

cláusula de coral y de aljófar.
Cóncavo es, breve pira, en la barba,
pórfido en que las almas reposan;
túmulo les eriges de luces,   35
bóveda de luceros las honra.
Tránsito a los jardines de Venus,
órgano es de marfil, en canora
música, tu garganta, que en dulces
éxtasis aun al viento aprisiona.   40
Pámpanos de cristal y de nieve,
cándidos tus dos brazos, provocan
tántalos, los deseos ayunos,
míseros, sienten frutas y ondas.
Dátiles de alabastro tus dedos,   45
fértiles de tus dos palmas brotan,
frígidos si los ojos los miran,
cálidos si las almas los tocan.
Bósforo de estrechez tu cintura,
cíngulo ciñe breve por zona,   50
rígida (si de seda) clausura,
músculos nos oculta, ambiciosa.
Cúmulo de primores, tu talle,
dóricas esculturas asombra,
jónicos lineamientos desprecia,   55
émula su labor de sí propia.
Móviles pequeñeces tus plantas,

33-36   Compara el mentón o barbilla («barba») con el mármol más preciado (el «pórfido», de color rosáceo) y el hoyuelo de la barbilla («cóncavo») lo
convierte en el lugar donde las almas, atrapadas por la belleza o el amor hacia
la condesa, reposan. Por eso es «pira», «túmulo» y «bóveda» («boveda» en el sentido que da *Dic. Aut.*: «en las Iglesias las que están labradas en esta forma debajo del pavimento y sirven para depósito o entierro de los cuerpos difun-
tos»).
37   *los jardines de Venus:* se refiere a los pechos. Imagen probablemente tomada del romance I de Góngora (MP).
43-44   Los brazos de la condesa provocan deseos de alcanzarlos, lo cual
es imposible («ayunos») como si esos deseos fuesen Tántalos míseros. *Tántalo,*
condenado por Júpiter, por haber divulgado sus secretos, a permanecer su-
mergido en el agua hasta la barbilla, pero sin poder beber, y sobre el que pen-
dían frutas que no podía alcanzar.

sólidos pavimentos ignoran;
mágicos que, a los vientos que pisan
tósigos de beldad inficionan.   60
Plátano, tu gentil estatura,
flámula es que a los aires tremola
ágiles movimientos, que esparcen
bálsamo de fragantes aromas.
Índices de tu rara hermosura,   65
rústicas estas líneas son cortas;
cítara solamente de Apolo,
méritos cante tuyos, sonora.

BAILES Y TONOS PROVINCIALES

*de un festejo, asistiendo en el Monasterio de San Jerónimo los Excmos.
señores condes de Paredes, virrey y virreina de Méjico.*

[40]

I.—INTRODUCCIÓN

Al privilegio mayor
que nos concede la Iglesia,
que a la llave de una cruz
piadosamente dispensa,
la soberana María   5
quiere asistir a la fiesta;
que como es toda de gracias,
es fuerza que se halle en ella.
Por la grandeza del día
asisten Sus Excelencias;   10

---

60   *tósigo:* veneno.
66   En realidad, los versos no son sencillos («rústicos») sino muy
cultos.
[40]   (II, 1692, 308; MP, I, 177.)
5   Doña María Luisa Gonzaga, la condesa de Paredes.

que el asistir las deidades
siempre supone indulgencias.
    Y así, el Cerda esclarecido,
a cuyas plantas excelsas
del águila mexicana   15
son basas las dos cabezas,
    en cuyo aplauso la Fama,
coronista y vocinglera,
tiene embotadas las plumas
y balbucientes las lenguas;   20
    el que por parecer más
a su clara descendencia,
quiere también que sea claro
aun el estado que hereda;
    el que españoles leones   25
unió a las lises francesas,
haciendo que dos coronas
se atasen con una Cerda;
    el descendiente glorioso
de aquel rey a quien veneran   30
por el Fuerte, las campañas,
por el Sabio, las escuelas:
    de aquel Alfonso el famoso,
a quien el siglo respeta,
en quien la sabiduría   35
fue mayor que la grandeza;
    el que de tantas reales
estirpes el nombre hereda,
que es púrpura muchas veces
lo que se encierra en sus venas;   40
    el que al cielo de Medina
adorna, mayor planeta,

---

13   Don Tomás Antonio de la Cerda, el virrey.

25-26   *leones* y *lises:* «el Marqués había participado en la negociación de las
nupcias del rey de España, D. Carlos II, con la princesa de Francia, Doña
María Luisa de Orleáns, en 1679» (MP).

36   Los Cerda tenían su origen en Alfonso X, *El Sabio.*

41   Era hermano del duque de Medinaceli *(Medina-Caeli).*

de quien América goza
las benignas influencias,
    con la divina María,   45
en cuya sin par belleza
esmera todo su estudio
la docta naturaleza,
    y mirándose excedida
en fábrica tan perfecta,   50
reconoció ser esmero
de más alta providencia,
    pues aunque la obra fue suya,
a más soberana idea
asistió como ministra   55
y no obró como maestra;
    a cuya beldad divina
vienen, cuando más se elevan,
las explicaciones cortas,
las alabanzas estrechas,   60
    pues sólo por retratarla
los orbes once se alegran
de que de espejos le sirva
su bruñida transparencia,
    porque en ellos bien retrata   65
la imagen de su belleza,
del reflejo de sus soles
mejor luz a las estrellas;
    a quien las marinas ninfas
por diosa del mar festejan,   70
y en lo que la excede, sólo
de Venus la diferencian;
    a quien el bosque por Cintia
adorara, si no viera
que son mejores sus arcos   75
y más vivas sus saetas;

---

62   Las esferas celestes.
70   Thetis.
73   *Cintia:* Diana.

la que, si se hallara en Ida,
no pusiera en contingencia
ni la fortuna de Paris
ni la hermosura de Elena,   80
    pues fuera el premio tan suyo
que, excusando la contienda,
obtuviera la manzana
antes de la conferencia:
    que mirando su beldad,   85
no es posible que cupiera
ni el escrúpulo en la duda
ni la duda en la sentencia;
    la que si hubiera nacido
de Chipre feliz princesa,   90
quitara a Psiquis la gloria
y el aplauso a Citerea;
    la generosa Gonzaga,
por cuya beldad pelean
Italia y España más   95
que no por Homero Grecia;
    la en quien no fue maravilla
nacer hermosa y discreta,
porque todas las deidades
son entendidas y bellas;   100
    en cuya alma y cuerpo están
equivocadas las señas:
muy discretas las facciones,
muy hermosas las potencias;
    en quien se admira, que puede   105
habitar en conveniencia
un espíritu de fuego
con una nevada esfera;

---

77   En el monte Ida se celebró el juicio de Paris.
91   *Psiquis:* la esposa de Cupido.
92   *Citerea:* Venus, por la isla cerca de la cual nació.
93   La condesa emparentaba, por vía paterna, con S. Luis Gonzaga y la
Casa de los duques de Mantua, y por vía materna, con los Hurtado de Mendoza (MP, I, 378).

la que toda es maravillas,
pues en su beldad se muestra,   110
siendo cielo ingenerable,
ser fecunda primavera,
    pues nació José glorioso,
multiplicando bellezas,
como de la aurora el sol   115
y de la concha la perla:
    la florida sucesión
que, en su pequeñez, encierra
gloria mucha en poco vaso,
gran forma en parva materia;   120
    el tierno, hermoso Cupido
que, el ser ostentando apenas,
rinde, sin saber que rinde,
tira, sin saber que acierta;
    el hechizo de los ojos,   125
el imán de las potencias,
que violenta cuando nadie
puede culpar que violenta;
    el lazo de las dos almas,
que con más fuerte cadena   130
quiso hacer identidad
la que unión sólo antes era:
    éstas, pues, deidades son,
las que esta casa festeja.
Si ofensa es, por el afecto   135
puede suplirse la ofensa.

---

113 El hijo de la condesa.

II.—Turdión

A las excelsas, soberanas plantas
del soberano, esclarecido Cerda,
lleguen nuestros afectos reverentes,
si es que tan altos los afectos vuelan.
　　Y a las breves estampas que le usurpa　　　　5
tierra feliz a su consorte bella,
cuyo contacto aplaude venturosa
con ecos de claveles y azucenas,
　　en rendimiento llegue tan devoto,
que el divino vestigio de sus huellas　　　　10
no toque el labio, porque a lo sagrado
más que el contacto, la adoración llega.
　　Adore desde lejos el respeto,
sin que de cerca a contemplar se atreva;
porque en el culto a la deidad debido　　　　15
más da que el que examina, el que respeta.
　　Que investigar de cerca perfecciones,
más arguye que afectos, indecencias;
y desautorizara el sol sus luces
a permitir mirarlas desde cerca.　　　　20
　　Y más, siendo el ejemplo tan sabido,
que en el mundo no hay alguien que no sepa
que se paga en castigos de agua y fuego
el que delito fue de pluma y cera.
　　Y así, llegad rendidos a sus aras;　　　　25
porque, aunque esté la majestad depuesta,
los rayos depondrá la ceremonia,

---

[41]　(II, 1692, 311; MP, I, 181.)
Título: el *turdión* es un baile cortesano.
5-8　Las *breves estampas* son las pisadas de la marquesa, que hacen que de la
tierra broten claveles y azucenas.
23-24　Referencia a Ícaro.
26-27　Alusión a que el virrey visitaba San Jerónimo sin el protocolo
cortesano que le correspondía.

mas los conservará naturaleza.

Por celosos arqueros que la guardan
sirven fragantes rayos que le cercan;   30
y pretender que el sol quede sin luces,
es pretender que quede sin esencia.

Y así, pues no hay ofrenda tan altiva
que, para su deidad, digna parezca,
en el sagrado culto de sus aras   35
el temor mismo el sacrificio sea.

Que cuando los favores son más grandes,
tanto menos obligan a la deuda;
porque la desobliga de la paga
la imposibilidad de recompensa.   40

Quien presume pagar a las deidades,
igualdades presume y competencias;
y así, aunque lo que intenta son retornos,
las que ejecuta sólo son ofensas.

De la deidad se admite el beneficio   45
y no se corresponde, porque fuera
querer ser tan deidad quien lo recibe
o dejarlo de ser el que lo entrega.

Y así, pues esta casa a tantas dichas
incapaz de pagarlas se confiesa,   50
en conocer que no puede pagarlas
librará sólo su correspondencia.

[42]

III.—Españoleta

Pues la excelsa, sagrada María,
humana y benigna quiere reducir
todo el sol a una esfera tan corta,

[42]   (II, 1692, 312; MP, I, 182.)

Título: «Danzada por una dama a un extremo de la sala y un galán al
otro» (MP).

3-5   Referencia al convento de San Jerónimo. *Pensil:* jardín.

todo el mayo a un pequeño pensil;
    pues un signo tan breve y estrecho   5
gloriosa ilumina de rayos de Ofir,
ostentando por trono a sus soles
arreboles de nieve y carmín;
    pues admira mirar, en su rostro,
en cielo de nieve, soles de zafir,   10
que venciendo del sol los reflejos,
afrentan del cielo el claro turquí;
    y pues el alto Cerda famoso
que, con cadena de afecto sutil,
suavemente encadena y enlaza   15
de América ufana la altiva cerviz,
    y el Josef, soberano Cupido,
que aun entre los lazos de la edad pueril,
Hércules español en la cuna,
ostenta glorioso ardor varonil,   20
    la grandeza depuesta del trono,
benignas deidades quieren asistir,
coronando el festejo, a quien hacen
con su presencia glorioso y feliz:
    si hay retorno a favores tan grandes,   25
postrados y humildes llegad a rendir,
en retorno las almas, si pueden
víctimas tales las almas suplir.

[43]

IV.—Panamá

La divina Lisi
que humana y benigna
se muestra, y entonces

---

6   *Ofir:* lugar mítico por sus riquezas en oro (cfr. poema núm. 39, v. 7).
Aquí, los cabellos rubios de la marquesa.
10   *soles de zafir:* ojos azules.
[43] (II, 1692, 313; MP, I, 183.)
Título: otro tipo de danza, más popular que las anteriores.

está más divina;
    la deidad de Mantua,   5
que en un cielo cifra
mil soles, en sólo
un sol con que brilla;
    la que a la italiana
cultura lucida,   10
junta la española
grave bizarría;
    la que, con dos arcos,
más hermosa Cintia,
perdona las fieras,   15
las almas fatiga;
    la que la hermosura
de diosa apellida,
pues es en abstracto
la hermosura misma;   20
    la nunca envidiada
y siempre bien vista,
porque a tanta altura
no alcanza la envidia;
    la que admira el mundo   25
por tan entendida,
que para adorada
le sobra lo linda;
    la que en el espejo
sólo, si se mira,   30
de su misma imagen
se ve competida;
    la que de belleza
llega a estar tan rica,
que lo que se tiene   35
no sabe ella misma;
    la que del adorno
nunca necesita,

---

5 Por el apellido Gonzaga pertenecía a la familia de los duques de
Mantua.
13-14 Los arcos son los ojos. *Cintia:* Diana.

pues siempre amanece
de rayos vestida,   40
    hoy hace esta casa
gozosa y festiva,
con sus pies alcázar,
cielo con su vista.
    Y las almas todas,   45
al verla rendidas,
en ecos de afectos
repiten que viva.

[44]

V.—Jácara

    Hoy, que las luces divinas
de uno y otro luminar
se avecinan a la tierra
sin ocultarse en el mar;
    hoy, que se muestran benignos,   5
depuesto el trono real,
Jove sin vibrar el rayo,
Juno sin la majestad;
    hoy, que Venus de sus cisnes
desunce el carro triunfal,   10
y por América olvida
de Chipre la amenidad;
    hoy, que gloriosa Belona
tremola señas de paz,
y por el ramo de oliva   15
depone la asta fatal;
    hoy, que Apolo ardiente deja

---

[44]   (II, 1692, 314; MP, I, 184.)
    Título: Jácara: baile popular.
    2   El sol y la luna; es decir, los condes de Paredes, asociados en los versos
siguientes a diversos personajes mitológicos.
    13   *Belona:* diosa de la guerra.

el monte de fatigar,
y dejadas las saetas
usa la lira no más;   20
    hoy, que pacífico Marte
deja el estruendo marcial,
y a tranquila paz conmuta
el estrépito campal;
    hoy que Alcides apacible,   25
en dulce tranquilidad
y con mejor Yole, cambia
lo fuerte por lo galán;
    hoy que el ínclito José,
clara sucesión real,
en dulces aumentos goza   30
las lisonjas de la edad;
    hoy, en fin, que en esta casa,
humanada la deidad,
cuanto está más disfrazada,
tanto está más celestial: 35
    su dueño, que en reverentes
obsequios quiere mostrar
que sólo paga en deseos
lo que no puede pagar,
    no intenta pedir perdones,   40
aunque ve su cortedad,
pues sabe que, en los favores,
el primero es perdonar,
    y pedir lo que se ha dado,
fuera querer estrechar   45
de una petición al voto
tanta liberalidad.
    Pues sabe que las deidades
no tienen necesidad,
como obran independientes,   50
de méritos para obrar:
    pues antes, en el indigno
hace la grandeza más,

---

27 *Yole:* la amada de Hércules (Alcides).

178

que es la estrechez del mendigo
lisonja del liberal;   55
    que a no haber necesitados,
no hallara objeto capaz,
y era frustránea potencia
a faltar necesidad.
    El bien es comunicable,   60
y si llegara a faltar
con quién, siempre fuera bien,
mas no fuera utilidad.
    Y así, gustoso en su esfera,
otra no quiere envidiar,   65
pues merece que tres soles
le lleguen a iluminar;
    y remitiendo al silencio
lo que no puede explicar,
a sí mismo de sus dichas   70
los parabienes se da.

[45]

VI.—Letra con que se coronó el festejo de esta asistencia

    A la deidad más hermosa,
que únicamente divina,
viste rayos por adorno,
espumas por triunfos pisa;
    a cuyos divinos ojos,   5
para triunfar de las vidas,
pide prestadas Amor
las más penetrantes viras;
    aquella deidad tan grande,
que diosa de dos provincias,   10
Gonzaga la admira Italia,

_____

[45] (II, 1692, 315; MP, I, 186.)
1   La condesa de Paredes.
8   *viras:* flechas.

Cerda la adora Castilla;
    la Manrique generosa,
que gloriosa multiplica
los timbres de su prosapia   15
con los triunfos de su vista;
    la que naciendo en Europa,
pasó su luz matutina,
brillando estrella en Italia,
a lucir sol en las Indias: 20
    a ésta, pues, a quien las almas
adoran todas rendidas,
ya que no pueden con voces,
con el silencio lo explican.

[46]

ROMANCE

*A la merced de alguna presea que la excelentísima señora doña Elvira
de Toledo, virreina de Méjico, la presentó, corresponde con una perla y
este romance, de no menor fuerza, que envió desde Méjico a la excelentísima señora condesa de Paredes.*

Hermosa, divina Elvira,
a cuyas plantas airosas,
los que a Apolo son laureles
aun no las sirven de alfombra;
a quien Venus y Minerva   5
reconocen, envidiosas,
la ateniense, por más sabia,
la cipria, por más hermosa;

---

[46]   (Cast., 203; MP, I, 117; SR, 289.)
   Título: el virrey don Gaspar de Sandoval, esposo de doña Elvira, gobernó
entre 1688 y 1696. La fecha del poema se corresponde, por lo tanto, con la
de 1688 o principios de 1689, fecha en que se publicó su Cast.
   4   *Var.:* MP, *«les».*
   5-10   *la cipria* (de Chipre) es Venus; *Ideo* es Paris; referencia al juicio de
Paris.

a quien si el pastor Ideo
diera la dorada poma,   10
lo justo de la sentencia
le excusara la discordia,
pues a vista del exceso
de tus prendas generosas,
sin esperar al examen,   15
te cediera la corona:
tú, que impedirle pudieras
la tragedia lastimosa
a Andrómeda, y de Perseo
el asunto a la victoria,   20
pues mirando tu hermosura
las Nereidas, ambiciosas,
su belleza despreciaran
y a ti te envidiaran sola;
ese concepto oriental   25
que del llanto de la Aurora
concibió concha lucida
a imitación de tu boca,
en quien la naturaleza,
del arte competidora,   30
siendo forma natural,
finge ser artificiosa,
quizá porque en su figura,
erudición cierta y docta,
a fascinantes contagios   35
da virtud preservadora;
con justa razón ofrezco

18-22   Casiopea se jactaba de que su hija Andrómeda era más bella que
las nereidas. Éstas, hijas de Nereo, dios marino más antiguo que Neptuno, se
sintieron ofendidas y, para vengarlas, Neptuno envió un monstruo marino
que provocaba la destrucción en el reino de Etiopía. Según un oráculo, la
única manera de librarse del monstruo era ofreciéndole a Andrómeda, pero
Perseo la salvó.

25   *ese concepto:* se refiere a la perla que le envía. Según Plinio y otros autores antiguos las ostras se abrían en las playas para concebir las perlas gracias
al rocío del amanecer.

35   Las perlas servían de amuleto contra «el mal de ojo» o «fascina-
ción».

a tus aras victoriosas,
pues por tributo del mar
a Venus sólo le toca.   40
Bien mi obligación quisiera
que excediera, por preciosa,
a la que líquida en vino
engrandeció egipcias bodas,
o a aquélla que, blasón regio   45
de la grandeza española,
nuestros católicos reyes
guardan, vinculada joya;
pero me consuela el ver
que, si tu tocado adorna,   50
con prestarle tú el oriente,
será más rica que todas,
que el lucir tanto los astros
que del cielo son antorchas,
no es tanto por lo que son,   55
como donde se colocan.
Recíbela por ofrenda
de mi fineza amorosa,
pues para ser sacrificio,
no en vano quiso ser hostia;   60
mientras yo, para la prenda
de tu mano generosa,
como para mejor perla,
del corazón hago concha.

43-44   La perla que, disuelta en vino, sirvió para brindar a Cleopatra en
su boda con Marco Antonio.

45   *Var.:* Cast., *«O aquélla».* Una célebre perla, llamada «la peregrina» (MP).

60   Las ostras perlíferas se denominaban también «ostias» u «hostias».
Sor Juana utiliza el doble sentido de «hostia» en relación con «sacrificio» u
«ofrenda».

61   La prenda es la «presea» a que hace referencia el título del poema.

[47]

Laberinto endecasílabo

para dar los años la excelentísima señora condesa de Galve al excelentísimo señor conde, su esposo.

(Léese tres veces, empezando la lección desde el principio o desde cualesquiera de las dos órdenes de rayas.)

> Amante,—caro—,dulce esposo mío,
> festivo y—pronto—tus felices años
> alegre—canta—sólo mi cariño,
> dichoso—porque—puede celebrarlos.
> Ofrendas—finas—a tu obsequio sean   5
> amantes—señas—de fino holocausto,
> al pecho—rica—mi corazón, joya,
> al cuello—dulces—cadenas mis brazos.
> Te enlacen—firmes,—pues mi amor no ignora,
> ufano—siempre,—que son a tu agrado   10
> voluntad—y ojos—las mejores joyas,
> aceptas—solas,—las de mis halagos.
> No altivas—sirvan,—no, en demostraciones
> de ilustres—fiestas,—de altos aparatos,
> lucidas—danzas,—célebres festines,   15
> costosas—galas—de regios saraos.
> Las cortas—muestras de—el cariño acepta,
> víctimas—puras de—el afecto casto
> de mi amor,—puesto—que te ofrezco, esposa
> dichosa,—la que,—dueño, te consagro.   20
> Y suple,—porque—si mi obsequio humilde
> para ti,—visto,—pareciere acaso,
> pido que,—cuerdo,—no aprecies la ofrenda

---

[47] (II, 1692, 307; MP, I, 176.)

Según la triple lectura, resultarían tres tipos de romances: endecasílabos, octosílabos y hexasílabos.

escasa y—corta,—sino mi cuidado.
    Ansioso—quiere—con mi propia vida   25
fino mi—amor—acrecentar tus años
felices,—y yo—quiero; pero es una,
unida,—sola,—la que anima a entrambos.
    Eterno—vive:—vive, y yo en ti viva
eterna,—para que—identificados,   30
parados—calmen—el amor y el tiempo
suspensos—de que—nos miren milagros.

[48]

ROMANCE

De pintura, no vulgar, en ecos, de la Excelentísima Señora condesa de
Galve, virreina de Méjico.

    El soberano Gaspar
par es de la bella Elvira:
vira de Amor más derecha,
hecha de sus armas mismas.
    Su ensortijada madeja   5
deja, si el viento la enriza,
riza tempestad que encrespa
crespa borrasca a las vidas.
    De plata bruñida plancha,
ancha es campaña de esgrima;   10
grima pone el ver dos marcos,
arcos que mil flechas vibran.
    Tiros son, con que de enojos,
ojos que al alma encamina,

    [48] (II, 1692, 326; MP, I, 119.)
    Título: los *ecos* se hacen repitiendo el final de cada verso al comienzo del si-
guiente.
    1 Don Gaspar de Sandoval, esposo de doña Elvira.
    9-10 La frente.
    11 Los ojos.

mina el pecho, que cobarde   15
arde en sus hermosas iras.
  Árbitro, a su parecer,
ser la nariz determina:
termina dos confinantes,
antes que airados se embistan.   20
  De sus mejillas el campo
ampo es, que con nieve emprima
prima labor, y la rosa
osa resaltar más viva.
  De sus labios, el rubí   25
vi que color aprendía;
prendía, teniendo ensartas,
sartas dos de perlas finas.
  Del cuello el nevado torno,
horno es, que incendios respira;   30
pira en que Amor, que renace,
hace engaños a la vista.
  Triunfos son, de sus dos palmas,
almas que a su sueldo alista;
lista de diez alabastros: 35
astros que en su cielo brillan.
  En lo airoso de su talle
halle Amor su bizarría;
ría de que, en el donaire,
aire es todo lo que pinta.   40
  Lo demás, que bella oculta,
culta imaginaria admira;
mira, y en lo que recata,
ata el labio, que peligra.

---

22 *ampo:* blancura. *Emprimar:* entretejer.
42 *imaginaria:* equivale a «escultura».

[49]

ROMANCE

Aplaude, lo mismo que la Fama, en la sabiduría sin par de la señora doña María de Guadalupe Alencastre, la única maravilla de nuestros siglos.

Grande duquesa de Aveyro,
cuyas soberanas partes
informa cavado el bronce,
publica esculpido el jaspe;
    alto honor de Portugal,   5
pues le dan mayor realce
vuestras prendas generosas,
que no sus quinas reales;
    vos, que esmaltáis de valor
el oro de vuestra sangre,   10
y siendo tan fino el oro
son mejores los esmaltes;
    Venus del mar lusitano,
digna de ser bella madre
de amor, más que la que a Chipre   15
debió cuna de cristales;
    gran Minerva de Lisboa,
mejor que la que triunfante
de Neptuno, impuso a Atenas
sus insignias literales;   20

---

[49] (Cast., 132; MP, I, 100; SR, 218.)
  Título: Duquesa de Aveyro: descendiente de Juan II de Portugal y emparenta-
da con la condesa de Paredes. Fue llamada «madre de las misiones» por la
ayuda monetaria que dio a tal fin. Mantuvo amistad con el padre Kino y tuvo
fama de sabia. (Más información en MP y SR.)
  8 *quinas:* las armas de Portugal.
  17-20 Minerva (Atenea) y Neptuno disputaron entre sí sobre quién pon-
dría el nombre a la ciudad griega de Atenas. Los dioses les pidieron que pre-
sentasen un don que favoreciese a los hombres. Neptuno presentó un caballo
y Atenea, que resultó vencedora, un olivo, símbolo de la sabiduría.

digna sólo de obtener
el áureo pomo flamante
que dio a Venus tantas glorias,
como infortunios a Paris;
    cifra de las nueve Musas   25
cuya pluma es admirable
arcaduz por quien respiran
sus nueve acentos suaves;
    claro honor de las mujeres,
de los hombres docto ultraje,   30
que probáis que no es el sexo
de la inteligencia parte;
    primogénita de Apolo,
que de sus rayos solares
gozando las plenitudes,   35
mostráis las actividades;
    presidenta del Parnaso,
cuyos medidos compases
hacen señal a las Musas
a que entonen o que pausen;   40
    clara Sibila española,
más docta y más elegante,
que las que en diversas tierras
veneraron las edades;
    alto asunto de la Fama,   45
para quien hace que, afanes
del martillo de Vulcano,
nuevos clarines os labren:
    oíd una musa que,
desde donde fulminante   50
a la tórrida da el sol

22-24   *el áureo pomo:* la manzana de oro que obtuvo Venus en su disputa
con Minerva y Juno; disputa que fue el origen de la guerra de Troya.

27   *arcaduz:* «caño por donde se conduce el agua en los acueductos»
(*Dic. Aut.*).

33   Apolo como inventor de la poesía; *primogénita* equivale, por tanto, a
considerarla como la mayor poetisa.

45   *asunto:* motivo.

51   *tórrida:* la zona tórrida. Referencia a una de las cinco zonas en que se
divide la tierra desde la Antigüedad. SJ se refiere a México.

rayos perpendiculares,
   al eco de vuestro nombre,
que llega a lo más distante,
medias sílabas responde   55
desde sus concavidades,
   y al imán de vuestras prendas,
que lo más remoto atrae,
con amorosa violencia
obedece, acero fácil.   60
   Desde la América enciendo
aromas a vuestra imagen,
y en este apartado polo
templo os erijo y altares.
   Desinteresada os busco,   65
que el afecto que os aplaude,
es aplauso a lo entendido
y no lisonja a lo grande.
   Porque, ¿para qué, señora,
en distancia tan notable,   70
habrán vuestras altiveces
menester mis humildades?
   Yo no he menester de vos
que vuestro favor me alcance
favores en el Consejo   75
ni amparo en los Tribunales,
   ni que acomodéis mis deudos,
ni que amparéis mi linaje,
ni que mi alimento sean
vuestras liberalidades,   80
   que yo, señora, nací
en la América abundante,
compatriota del oro,
paisana de los metales,
   adonde el común sustento   85

---

55   *medias sílabas:* basándose en el efecto sonoro del eco, SJ se refiere a la
rima del poema con que ella «responde».

67-68   *a lo entendido:* a la sabiduría de la duquesa; *a lo grande:* a su estirpe
noble.

se da casi tan de balde,
que en ninguna parte más
se ostenta la tierra, madre.
        De la común maldición,
libres parece que nacen   90
sus hijos, según el pan
no cuesta al sudor afanes.
        Europa mejor lo diga,
pues ha tanto que, insaciable,
de sus abundantes venas   95
desangra los minerales,
        y cuantos el dulce Lotos
de sus riquezas les hace
olvidar los propios nidos,
despreciar los patrios lares,   100
        pues entre cuantos la han visto,
se ve con claras señales,
voluntad en los que quedan
y violencia en los que parten.
        Demás de que, en el estado   105
que Dios fue servido darme,
sus riquezas solamente
sirven para despreciarse,
        que para volar segura
de la religión la nave,   110
ha de ser la carga poca
y muy crecido el velamen,
        porque si algún contrapeso,
pide para asegurarse,
de humildad, no de riquezas,   115
ha menester hacer lastre.
        Pues, ¿de qué cargar sirviera
de riquezas temporales,
si en llegando la tormenta
era preciso alijarse?   120

---

97   *Lotos:* no se refiere a la flor del loto, sino a un fruto con el que se hacía
un agradable licor que, según relata Homero, gustó mucho a los compañeros
de Ulises.
120   *alijarse:* arrojar el lastre o cargamento.

Con que por cualquiera de estas
razones, pues es bastante
cualquiera, estoy de pediros
inhibida por dos partes.
Pero, ¿a dónde de mi patria   125
la dulce afición me hace
remontarme del asunto
y del intento alejarme?
Vuelva otra vez, gran señora,
el discurso a recobrarse,   130
y del hilo del discurso
los dos rotos cabos ate.
Digo, pues, que no es mi intento,
señora, más que postrarme
a vuestras plantas que beso   135
a pesar de tantos mares.
La siempre divina Lisi,
aquélla en cuyo semblante
ríe el día, que obscurece
a los días naturales,   140
mi señora la condesa
de Paredes (aquí calle
mi voz, que dicho su nombre,
no hay alabanzas capaces);
ésta, pues, cuyos favores   145
grabados en el diamante
del alma, como su efigie,
vivirán en mí inmortales,
me dilató las noticias
ya antes dadas de los padres   150
misioneros, que pregonan
vuestras cristianas piedades,
publicando cómo sois
quien con celo infatigable
solicita que los triunfos   155
de nuestra fe se dilaten.
Ésta, pues, que sobre bella,
ya sabéis que en su lenguaje

vierte flores Amaltea
y destila amor panales,   160
    me informó de vuestras prendas
como son y como sabe,
siendo sólo tanto Homero
a tanto Aquiles bastante.
    Sólo en su boca el asunto   165
pudiera desempeñarse,
que de un ángel sólo puede
ser coronista otro ángel.
    A la vuestra, su hermosura
alaba, porque envidiarse   170
se concede en las bellezas
y desdice en las deidades.
    Yo, pues, con esto movida
de un impulso dominante,
de resistir imposible   175
y de ejecutar no fácil,
    con pluma en tinta, no en cera,
en alas de papel frágil,
las ondas del mar no temo,
las pompas piso del aire,   180
    y venciendo la distancia,
porque suele a lo más grave
la gloria de un pensamiento
dar dotes de agilidades,
    a la dichosa región   185
llego, donde las señales
de vuestras plantas me avisan
que allí mis labios estampe.
    Aquí estoy a vuestros pies,
por medio de estos cobardes   190

---

159   *Amaltea:* nodriza de Júpiter, a la que éste regaló el cuerno de la abundancia.

163-64   Sólo tan grande cantor como es la condesa de Paredes (Homero) puede relatar las cualidades de la duquesa de Aveyro (Aquiles).

177   Referencia al vuelo de Ícaro.

185-86   SJ llega, por medio de su poema, a Portugal, donde habita la duquesa.

rasgos, que son podatarios
del afecto que en mí arde.
   De nada puedo serviros,
señora, porque soy nadie,
mas quizá por aplaudiros,   195
podré aspirar a ser alguien.
   Hacedme tan señalado
favor, que de aquí adelante
pueda de vuestros criados
en el número contarme.   200

[50]

SONETO

Habiendo muerto un toro el caballo a un caballero toreador.

   El que hipogrifo de mejor Rugero,
ave de Ganimedes más hermoso,
Pegaso de Perseo más airoso,
de más dulce Arión, delfín ligero
   fue, ya sin vida yace al golpe fiero   5
de transformado Jove, que celoso
los rayos disimula, belicoso,
sólo en un semicírculo de acero.
   Rindió el fogoso postrimero aliento
el veloz bruto, a impulso soberano;   10
pero de su dolor, que tuvo, siento,
   más de efectivo y menos de inhumano:
pues fue de vergonzoso sentimiento
de ser bruto, rigiéndole tal mano.

---

191   *podatario:* persona a la que se le otorga un poder para administrar los
bienes de un tercero.
   [50]   (II, 1692, 277; MP, I, 305.)
   1-4   *Hipogrifo,* el caballo volador inventado por Ariosto en su *Orlando Furioso;* el águila que raptó a Ganimedes para llevarlo al Olimpo; el delfín que
acudió, al oír la música de Arión, y le salvó de ahogarse.
   5-8   Como un nuevo Júpiter, metamorfoseado en toro.
   12   *Var.:* II, 1692, *«activo».* MP lo corrige por considerarlo errata.

[51]

SONETO

Acróstico que escribió la Madre Juana a su maestro, el Br. Martín de Olivas.

Máquinas primas de su ingenio agudo
A Arquimedes, artífice famoso,
Raro renombre dieron de ingenioso:
¡Tanto el afán y tanto el arte pudo!
    Invención rara, que en el mármol rudo   5
No sin arte grabó, maravilloso,
De su mano, su nombre prodigioso,
Entretejido en flores el escudo.
    ¡Oh! Así permita el cielo que se entregue
Lince tal mi atención en imitarte,   10
I en el mar de la Ciencia así se anegue
    Vajel, que —al discurrir por alcanzarte—
Alcance que el que a ver la hechura llegue,
Sepa tu nombre del primor del Arte.

[52]

SONETO

A la muerte del señor rey Felipe IV.

¡Oh, cuán frágil se muestra el ser humano
en los últimos términos fatales,
donde sirven aromas orientales

[51] (II, 1692, 278; MP, I, 306.)

Título: fue el maestro que dio a SJ las veinte lecciones de latín a las que alude en su *Respuesta...*

1 *Máquinas primas:* obras maestras.

[52] (II, 1692, 277; MP, I, 298.)

Felipe IV murió en septiembre de 1665. La noticia llegó a México al año siguiente. Para MP ésta sería la primera poesía fechable de SJ.

de culto inútil, de resguardo vano!
Sólo a ti respetó el poder tirano,   5
¡oh gran Filipo!, pues con las señales
que ha mostrado que todos son mortales,
te ha acreditado a ti de soberano.
Conoces ser de tierra fabricado
este cuerpo, y que está con mortal guerra   10
el bien del alma en él aprisionado;
y así, subiendo al bien que el cielo encierra,
que en la tierra no cabes has probado,
pues aun tu cuerpo dejas porque es tierra.

[53]

SONETO

*Aplaude la ciencia astronómica del padre Eusebio Francisco Kino, de
la Compañía de Jesús, que escribió del cometa que el año de ochenta
apareció, absolviéndole de ominoso.*

Aunque es clara del cielo la luz pura,
clara la luna y claras las estrellas,
y claras las efímeras centellas
que el aire eleva y el incendio apura;
aunque es el rayo claro, cuya dura   5
producción cuesta al viento mil querellas,
y el relámpago que hizo de sus huellas
medrosa luz en la tiniebla obscura;
todo el conocimiento torpe humano
se estuvo obscuro sin que las mortales   10
plumas pudiesen ser, con vuelo ufano,
Ícaros de discursos racionales,
hasta que el tuyo, Eusebio soberano,
les dio luz a las luces celestiales.

---

[53]   (Cast., 168; MP, I, 309; SR, 249.)

[54]

Explicación del arco

Si acaso, príncipe excelso,
cuando invoco vuestro influjo
con tan divinos ardores
yo misma no me confundo;
    si acaso, cuando a mi voz   5
se encomienda tanto asunto,
no rompe lo que concibo
las cláusulas que pronuncio;
    si acaso, cuando ambiciosa
a vuestras luces procuro   10
acercarme, no me abrasan
los mismos rayos que busco;
    escuchad de vuestras glorias,
aunque con estilo rudo,
en bien copiadas ideas   15
los mal formados trasuntos.
    Este, señor, triunfal arco,
que artificioso compuso
más el estudio de amor
que no el amor del estudio;   20
    éste, que en obsequio vuestro
gloriosamente introdujo
a ser vecino del cielo
el afecto y el discurso;
    este Cicerón sin lengua,   25
este Demóstenes mudo,
que con voces de colores

---

[54]   (Cast., 321, AGS, IV, 402; SR, 436.)

SJ escribió estos versos como síntesis descriptiva del Arco Triunfal que se
le encargó para celebrar la entrada en México del virrey marqués de la
Laguna, el 30 de noviembre de 1680. SJ escribió un largo texto en prosa,
Neptuno Alegórico y estos versos, en ambos casos, explicativos de la fábrica del
arco.

nos publica vuestros triunfos;
  este explorador del aire,
que entre sus arcanos puros   30
sube a investigar curioso
los imperceptibles rumbos;
  esta atalaya del cielo,
que a ser racional, presumo
que al sol pudiera contarle   35
los rayos uno por uno;
  este Prometeo de lienzos
y Dédalo de dibujos,
que impune usurpa los rayos,
que surca vientos seguro;   40
  éste, a cuya cumbre excelsa
gozando sacros indultos,
ni aire agitado profana,
ni rayo ofende trisulco;
  éste, pues, que aunque de altivo   45
goza tantos atributos,
hasta estar a vuestras plantas
no mereció el grado sumo,
  la metrópoli imperial
os consagra por preludio   50
de lo que en servicio vuestro
piensa obrar el amor suyo,
  con su sagrado pastor,
a cuyos silbos y a cuyo
cayado, humilde rebaño   55
obedece el Nuevo Mundo

29-45 Diversas imágenes para ensalzar la altura del arco.

30 *arcanos:* ocultos, recónditos.

37-40 El arco alza tanto sus lienzos que roba los rayos del Sol, como Prometeo (que robó el fuego de Júpiter para dárselo a los hombres, por lo que fue duramente castigado) pero de manera impune; y como Dédalo (que huyó seguro con sus alas de cera, al no acercarse al sol, al contrario de lo que hizo su hijo Ícaro) los dibujos del arco tampoco corren peligro.

44 *rayo trisulco:* de tres puntas, como el de Júpiter.

49 La catedral: la Iglesia Metropolitana de México capital.

53 El arzobispo, fray Payo Enríquez de Ribera.

(el que mejor que el de Admeto,
siendo deidad y hombre justo,
sin deponer lo divino
lo humano ejercitar supo),   60
    y el venerable Cabildo,
en quien a un tiempo descubro,
si inmensas flores de letras,
de virtud colmados frutos.
    Y satisfaga, señor,   65
mientras la idea discurro,
el afecto que os consagro,
a la atención que os usurpo.

                    1

    Aquel lienzo, señor, que en la fachada
corona airosamente la portada,   70
en que émulo de Apeles
con docta imitación de sus pinceles
al mar usurpa la fluxible plata
que en argentadas ondas se dilata,
en cuyo campo hermoso está copiado   75
el monarca del agua coronado,
a cuya deidad sacra pone altares
el Océano, padre de los mares,
que al cerúleo tridente
inclina humilde la lunada frente,   80
(y el que fue con bramidos, terror antes,
a los náufragos, tristes navegantes,)
ya debajo del yugo que le oprime
tímido muge y reverente gime,
sustentando en la espalda cristalina   85

---

57 Apolo, castigado a ser pastor del rey Admeto por haber atacado a los
cíclopes.
73 *fluxible plata:* la fluida agua que parece de plata.
76 Neptuno.
79 *cerúleo:* azul.

tanta de la república marina
festiva copia, turba que nadante
al árbitro del mar festeja amante,
y en formas varias que lucida ostenta,
las altas representa   90
virtudes, que en concierto eslabonado
flexible forman círculo dorado
que sirve en un engace y otro bello
de esmaltada cadena al alto cuello:
un bosquejo es, señor, que con torpeza   95
los de vuestra grandeza
blasones representa, esclarecidos,
de timbres heredados y adquiridos,
pues con generosas prontitudes
os acompañan todas las virtudes,   100
que estáis de sus empresas adornado,
cuando más solo, más acompañado.

2

En el otro, señor, que a mano diestra
en aquella anegada ciudad muestra,
cuanto puede incitado   105
el poder de los dioses irritado,
se ve la reina de los dioses, Juno,
el socorro impetrando de Neptuno,
que hiere con el ínclito tridente
al que retrocedente   110
cerúleo monstruo, ya con maravilla

---

88   *Var.:* Cast. *«arbitrario».* Clara errata, ya que el verso sólo puede referirse a Neptuno.
89   Se refiere a la muchedumbre *(copia)* del v. 87.
104-112   Juno y Neptuno se disputaban la región de la Argólida; Inaco,
dios-río de aquellas tierras actuó como juez, dirimiendo en favor de Juno.
Neptuno, irritado, primero inundó la región y luego secó sus fuentes. En el
Neptuno Alegórico, al describir el segundo lienzo, alude SJ a que Neptuno formó una laguna donde fluyesen las aguas del río Peneo.
111   *cerúleo monstruo:* mar azul.

al límite se estrecha de la orilla.
Y no menos, señor, de vuestra mano,
la cabeza del reino americano,
que por su fundamento   115
a las iras del líquido elemento
expuesta vive, espera asegurada
preservación de la invasión salada.

3

Allí, señor, errante peregrina,
Delos, siempre en la playa cristalina   120
con mudanza ligera
fue de su misma patria forastera;
pero apenas la toca
el rector de las aguas, cuando roca
ya en fijo centro estriba,   125
de ondas y vientos burladora, altiva,
que a bienes conmutando ya sus males
patria es de los faroles celestiales,
en quien Méjico está representada:
ciudad sobre las ondas fabricada,   130
que en césped titubante
ciega gentilidad fundó ignorante;

---

114   La ciudad de México, amenazada por las inundaciones, espera del
virrey que, como un nuevo Neptuno, solucione el problema (haciendo los
desagües necesarios). La imagen es acertada ya que el virrey, don Tomás de la
Cerda, era marqués de la *Laguna.*
118   Entre el conjunto de lagos que rodeaban la ciudad, el de Texcoco era
salado.
119-128   Asteria, siendo amada por Júpiter que se había metamorfoseado en águila para engañarla, se transformó en codorniz y huyó a una isla del
mar Egeo, que se llamó Orfigia (de *ortix,* codorniz). SJ, siguiendo a Ovidio y
Natal (tercer lienzo del *Neptuno Alegórico),* señala que cayó en el mar y se convirtió en la isla flotante de Delos (para así salvaguardar su inocencia). Neptuno *(rector de las aguas,* v. 124) fijó la isla con su tridente, siendo el lugar donde
Latona, hermana de Asteria, dio a luz a Apolo y Diana *(faroles celestiales,* v.
128, ya que representan al sol y la luna).
131   *titubante:* titubeante, que no tiene estabilidad.
132   Los aztecas.

si ya no providencia misteriosa
émula de Venecia la hizo hermosa
porque nadie pudiese en su primera cuna   135
consagrarse al señor de la Laguna;
en quien por más decoro
nace en plata Diana, y Febo en oro,
que a vuestras plantas postren a porfía
cuanto brilla la noche y luce el día.   140

4

Allí se ven los griegos inhumanos
dando alcance a los míseros troyanos,
que del futuro engaño presagientes
de los griegos ardientes,
sienten en las centellas del acero   145
anuncios del incendio venidero,
y eligen el seguro
en la interposición del alto muro,
que de sonoras cláusulas formado,
y luego desatado   150
al son de disonante artillería
soltó discordia lo que ató armonía.
Allí el hijo de Tetis arrogante
al de Venus combate y, fulminante,

---

137 *en quien:* en donde.
138-140 Alusión a las riquezas en oro y plata de México. Según creen-
cias que venían de la Antigüedad, el sol (Apolo, aquí) engendraba el oro y la
luna (Diana) la plata.
143 *presagientes:* que presagiaban o presentían (del latín *praesagiens,* parti-
cipio de presente).
146 El incendio de la ciudad de Troya.
149 El muro de Troya fue construido por Neptuno al son de la lira de
Apolo.
151 *artillería:* su uso no es un anacronismo (por armas de fuego) ya que se
utilizaba también para designar todo tipo de máquinas de guerra, empleadas
en los asedios.
153 *el hijo de Tetis* y Peleo: Aquiles.
154 *al de Venus* y Anquises: Eneas.

tantos le arroja rayos,   155
que en pálidos desmayos
ya el troyano piadoso
casi a Lavinia hermosa sin esposo
dejara, y en un punto
sin rey a Roma, a Maro sin asunto,   160
si de nube auxiliar en seno oculto
no escondiera su bulto
y burlara el deseo
del atrevido hijo de Peleo,
el padre de los vientos, poderoso,   165
cuanto más ofendido, más piadoso:
que tiene la deidad por alto oficio
oponer a un agravio un beneficio;
lo cual en vos se mira ejecutado,
pues no soborna el mérito al agrado   170
sino que, por mil modos,
sois como el sol, benigno para todos.

5

En el otro tablero,
empresa del que es héroe verdadero
el espumoso dios, a quien atentos   175
obedecen los mares y los vientos,
a los centauros doctos (que del fiero

158-166   Al caer Troya, Venus ordenó a Eneas que huyese con su familia
y deudos, para fundar en Italia una nueva Troya. En el Lacio se casó con Lavinia, hija del rey Latino, dando origen a la dinastía romana. Todo ello lo re-
lató Publius Virgilius *Maro* en la *Eneida*. Pero nada de esto hubiera ocurrido si
Neptuno (*padre de los vientos* o su dueño en el mar) no le hubiera ocultado
(*bulto:* cuerpo) con una nube, y eso a pesar de las ofensas de Troya al dios marino (v. 166).
173-188   Según algunas tradiciones mitológicas, los centauros fueron hijos de una nube y considerados como maestros de las ciencias en la antigüedad, entre ellos el célebre Quirón. Los más jóvenes, expertos jinetes y arqueros, se propasaron en Tesalia, y Hércules (*Alcides*) acabó con la mayoría de
ellos. Según algunos autores, sin embargo, se refugiaron en las islas de las sirenas.

Alcides no el acero
con que la clava adorna de arrogancia
huyen, sino el furor de la ignorancia,   180
cuya fiereza bruta
ofende sin saber lo que ejecuta)
dulce les da acogida
con una acción salvando tanta vida.
Viva gallarda idea   185
de la virtud, señor, que en vos campea
pues con piadoso estilo
sois de las letras el mejor asilo.

6

Allí, señor, en trono transparente
constelación luciente   190
forma el pez que fletó, viviente nave,
del náufrago Arión la voz suave,
que en métrica dulzura
el poder revocó a la Parca dura:
que a doloroso acento lamentable,   195
ni es sordo el mar, ni el hado inexorable;
y elocuente orador, Tulio escamado,
el cuello no domado,
el desdén casto de Anfitrite hermosa,
en la unión amorosa   200

---

179   A Hércules se le representa con una maza o *clava*.
191-194   A Arión, famoso poeta y músico, le permitieron los marineros
que iban a arrojarle del barco en que viajaba (después de apoderarse de sus riquezas) interpretar una melodía. Los delfines acudieron al oír la música y
uno de ellos le salvó llevándole en su lomo.
197-210   El delfín (*el cuello no domado*, ya que sirvió de cabalgadura a
Arión, sin ser animal domesticado al efecto) es *elocuente orador* (y se le compara con Marco *Tulio* Cicerón —*escamado* ya que, aunque no es pez, su personificación mitológica permitía estas licencias poéticas—) porque convenció a la
esposa de Neptuno —*Anfitrite*— de que no abandonara a su marido. En recompensa, el delfín fue elevado al rango de constelación (*asterismo*, v. 207; y
vv. 189-190). *El que reina en los campos de Nereo* es Neptuno (*Nereo,* divinidad
marina).

202

del que reina en los campos de Nereo,
redujo al dulce yugo de Himeneo,
a cuyo beneficio el siempre augusto
remunerador justo,
de nueve las más bellas   205
del luminoso número de estrellas,
asterismo le adorna tan lucido,
que el mar, que le fue nido,
ya al brillante reflejo
digno apenas se ve de ser espejo.   210
¡Qué mucho, gran señor, si fue Neptuno
prototipo oportuno
de vuestra liberal augusta mano,
con que imitando al numen soberano,
castigáis menos que merece el vicio   215
y dais doblado premio al beneficio!

                              7

   El otro lienzo copia, belicosa,
a la tritonia diosa,
que engendrada una vez, dos concebida,
y ninguna nacida,   220
fue la inventora de armas y las ciencias;
pero aquí con lucidas competencias
de la deidad que adora poderosa:

   217-220   Minerva, llamada *tritonia* por haber nacido cerca del río Tritón,
fue engendrada por Júpiter en Metis. Al conocer Júpiter el oráculo que pro-
fetizaba que el hijo que naciese de aquella unión se convertiría en el rey de todos los dioses, devoró a Metis. Pero sintiendo Júpiter un gran dolor de cabeza, recurrió a Vulcano, quien se la abrió de un hachazo, surgiendo Minerva
ya adulta y con las armas que la caracterizan.
   222-228   Pero aquí, en el lienzo, se representa a Minerva en la brillante
disputa *(con lucidas competencias)* que mantuvo con la poderosa deidad que ella
adora: es decir, con Neptuno (el rey del *océano),* donde el sol muere al atarde-
cer *(tumba espumosa),* y el océano, en reconocimiento del triunfo de Minerva
(v. 226), le besa con sus aguas verdes y ya oscuras —*verdinegros labios* (porque
anochece)— sus pies que, al pisar la orilla del mar, parecen llevar un calzado
(coturno) de plata, al ser cubiertos por la espuma del mar.

océano, del sol tumba espumosa,
a quien con verdinegros labios besa   225
por más gloriosa empresa
el regio pie que el mar huella salado
con coturno de espumas argentado.
Competidora, pues, y aun vencedora,
a la gran madre ahora   230
apenas hiere, cuando pululante,
aunque siempre de paz, siempre triunfante,
verde produce oliva que adornada
de pacíficas señas, y agravada
en su fruto de aquel licor precioso   235
que es Apolo nocturno al estudioso,
al belígero opone bruto armado,
que al toque del tridente fue criado.
La paz, pues, preferida
fue de alto coro, y la deidad vencida   240
del húmedo elemento,
hizo triunfo del mismo vencimiento:
pues siendo prole a quien él mismo honora
la hermosísima sabia vencedora,
solamente podía   245
a su propia ceder sabiduría.
Así, señor, los bélicos ardores
que de progenitores
tan altos heredáis que en vuestras sienes

---

229 *Competidora:* se refiere a la contienda que mantuvo con Neptuno sobre el nombre que habría de darse a la ciudad de Atenas. En los versos siguientes se alude a ello: los dioses elegidos como jueces decidieron dar la victoria a aquel que presentase la cosa más útil para la ciudad. Neptuno, con un
golpe de su tridente, hizo surgir de la tierra un feroz caballo, y Minerva hizo
nacer un olivo, símbolo de la paz, obteniendo así la victoria.

230 *la gran madre:* la tierra.

231 *pulular:* «Empezar a brotar» (*Dic. Aut.*).

236 El aceite de la lámpara es como un sol (*Apolo*) nocturno que permite
el estudio.

240 *alto coro:* los dioses que actuaban de jueces.

243 En la prosa del *Neptuno Alegórico* recoge SJ la opinión de Natal de que
Minerva fue engendrada por Neptuno.

los triunfantes no caben ya desdenes   250
del sol, e indignos de formar guirnalda
a vuestros pies alfombra de esmeralda
tejen, porque aumentando vuestras glorias
holléis trofeos y piséis victorias.
Este, pues, sólo pudo alto ardimiento   255
ceder a vuestro propio entendimiento,
pues si algo, que el valor más vuestro hubiera,
más de lo más, vuestro discurso fuera.

8

En el otro tablero que, eminente,
corona la portada la alta frente,   260
y en el más alto asiento
le da a todo el asunto complemento,
el claro dios, a Laomedón perjuro,
el levantado muro,
émulo del tebano,   265
con divina fabrica diestra mano,
a cuyo beneficio,
viendo el sin par magnífico edificio,
la docta antigüedad, reconocida,
dios de los edificios le apellida,   270
Así, excelso señor, claro Neptuno,
en el paterno amparo y oportuno
vuestro, la tantos años esperada
perfección deseada
libra la soberana en cuanto brilla   275
imperial mejicana maravilla,

---

250   *los triunfantes desdenes del sol:* los laureles (referencia mitológica a Dafne, que, desdeñando a Apolo, se metamorfoseó en laurel). Símbolo de los vencedores.
255   Sólo este alto valor (*ardimiento*).
263   Neptuno (*el claro dios*) construyó las murallas de Troya, pero Laomedón, rey de la ciudad y padre de Príamo, no cumplió las promesas que había hecho a Neptuno y Apolo por su ayuda.
272   en el paterno y oportuno amparo vuestro.
276   La catedral.

que pobre en sus acciones,
de las que merecéis demostraciones,
si de deseos rica,
aquella triunfal máquina os dedica,   280
de no vulgar amor muestra pequeña,
que arrogante desdeña
las de ostentación muestras pomposas,
reducidas a verdades amorosas.

    Entrad, señor, si el que tan grande ha hecho   285
tantos años la sabia arquitectura
es capaz de que quepa en su estructura
la magnanimidad de vuestro pecho.
    Que no es mucho si allá le vino estrecho
el templo, de Neptuno a la estatura,   290
que a vos la celestial bóveda pura
os sirva sólo de estrellado techo;
    pero entrad, que si acaso a tanta alteza
es chico el templo, amor os edifica
otro en las almas de mayor firmeza   295
    que de mentales pórfidos fabrica;
que como es tan formal vuestra grandeza,
inmateriales templos os dedica.

Sub correctione Sanctae Matris Ecclesiae Catholicae
            Romanae.

            LAUS DEO   300

*Eiusque Sanctissimae Matri sine labe conceptæ, atque Beatissimo
            Iosepho.*

289-90   En *Neptuno Alegórico* alude SJ a un templo dedicado a Neptuno en
la Atlántida. La estatua del dios era tan grande que llegaba a la bóveda del
templo.
296   *pórfido:* mármol rojizo muy estimado.

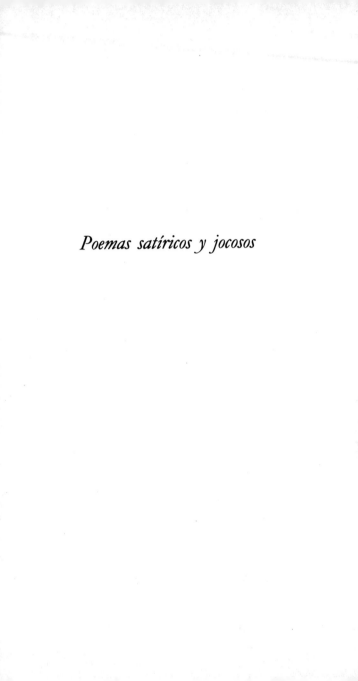

Poemas satíricos y jocosos

[55]

Ovillejos

Pinta en jocoso numen, igual con el tan célebre de Jacinto Polo, una belleza.

El pintar de Lisarda la belleza,
en que a sí se excedió naturaleza,
con un estilo llano,
se me viene a la pluma y a la mano.
Y cierto que es locura   5
el querer retratar yo su hermosura,
sin haber en mi vida dibujado,
ni saber qué es azul o colorado,
qué es regla, qué es pincel, obscuro o claro,
aparejo, retoque ni reparo.   10
El diablo me ha metido en ser pintora;
dejémoslo, mi musa, por ahora,
a quien sepa el oficio;
mas esta tentación me quita el juicio,
y sin dejarme pizca,   15
ya no sólo me tienta, me pellizca,

---

[55]   (Cast., 73; MP, I, 320; SR, 167.)

Título: el poeta español Jacinto Polo (1603-76) estaría presente en este poema, fundamentalmente, a través de su *Fábula burlesca de Apolo y Dafne* y del poema *Retrata un galán a una mulata, su dama,* según MP.

7   Broma de SJ, ya que pintó retratos y, probablemente, su autorretrato. El tono del poema no invita a pensar que se trate del tópico de la «falsa modestia».

me cozca, me hormiguea,
me punza, me rempuja y me aporrea.
   Yo tengo de pintar, dé donde diere,
salga como saliere,   20
aunque saque un retrato
tal, que después le ponga: aquéste es gato.
Pues no soy la primera
que con hurtos de sol y primavera
echa, con mil primores,   25
una mujer en infusión de flores;
y después que muy bien alambicada
sacan una belleza destilada,
cuando el hervor se entibia,
pensaban que es rosada, y es endibia.   30
Mas no pienso robar yo sus colores;
descansen, por aquesta vez, las flores,
que no quiere mi musa ni se mete
en hacer su hermosura ramillete.
¿Mas con qué he de pintar, si ya la vena   35
no se tiene por buena,
si no forma, hortelana en sus colores,
un gran cuadro de flores?
   ¡Oh siglo desdichado y desvalido
en que todo lo hallamos ya servido!   40
Pues que no hay voz, equívoco ni frase
que por común no pase
y digan los censores:
¿Eso?, ¡ya lo pensaron los mayores!
¡Dichosos los antiguos que tuvieron   45
paño de que cortar, y así vistieron
sus conceptos de albores,
de luces, de reflejos y de flores!:
que entonces era el sol, nuevo, flamante,
y andaba tan valido lo brillante   50
que el decir que el cabello era un tesoro,

---

17   *cozca:* «raro vocablo», como dice MP. Probablemente deriva de *coz*.
30   *endibia:* «muy semejante a la lechuga» *(Dic. Aut.)*.
46   *Var.:* falta el verso en SR.

valía otro tanto oro.
Pues las estrellas, con sus rayos rojos,
que aun no estaban cansadas de ser ojos,
cuando eran celebradas   55
(¡oh dulces luces por mi mal halladas,
dulces y alegres cuando Dios quería!)
pues ya no os puede usar la musa mía
sin que diga, severo, algún letrado
que Garcilaso está muy maltratado,   60
y en lugar indecente;
mas si no es a su musa competente
y le ha de dar enojo semejante,
quite aquellos dos versos, y adelante.

Digo, pues, que el coral entre los sabios   65
se estaba con la grana aún en los labios,
y las perlas, con nítidos orientes,
andaban enseñándose a ser dientes;
y alegaba la concha, no muy loca,
que si ellas dientes son, ella es la boca;   70
y así entonces, no hay duda,
empezó la belleza a ser conchuda.
Pues las piedras (¡ay Dios, y qué riqueza!)
era una platería una belleza,
que llevaba por dote en sus facciones   75
mas de treinta millones.

Esto sí era hacer versos descansado,
y no en aqueste siglo desdichado

---

53 *rojo:* «se toma también por rubio: como el color del Sol, o del oro»
(*Dic. Aut.*).

54 *Var.:* falta el verso en SR.

56-57 Versos tomados del soneto X de Garcilaso, excepto el cambio de
prendas por *luces.*

58 *Var.:* MP, «ya no *las* puede...».

65-66 *los sabios:* hace referencia a *los mayores* y *los antiguos* de los vv. 44-45.
Se iniciaba entonces la comparación tópica de los labios con el *coral* y la
grana.

72 *conchudo-a:* «En lo literal vale cubierto de conchas» (*Dic. Aut.*). Se refiere a las imágenes poéticas que encubren la realidad.

73 Las piedras preciosas, utilizadas como metáfora en la descripción de
la dama.

y de tal desventura,
que está ya tan cansada la hermosura   80
de verse en los planteles
de azucenas, de rosas y claveles,
ya del tiempo marchitos,
recogiendo humedades y mosquitos,
que con enfado extraño   85
quisiera más un saco de ermitaño.
Y así andan los poetas desvalidos,
achicando antiguallas de vestidos,
y tal vez sin mancilla,
lo que es jubón ajustan a ropilla,   90
o hacen de unos centones
de remedios diversos, los calzones,
y nos quieren vender por extremada,
una belleza rota y remendada.
¿Pues qué es ver las metáforas cansadas   95
en que han dado las musas alcanzadas?
No hay ciencia, arte ni oficio,
que con extraño vicio,
los poetas, con vana sutileza,
no anden acomodando a la belleza,   100
y pensando que pintan de los cielos,
hacen unos retablos de sus duelos.
    Pero diránme ahora
que quién a mí me mete en ser censora,
que, de lo que no entiendo, es grave exceso; 105
pero yo les respondo, que por eso,
que siempre el que censura y contradice
es quien menos entiende lo que dice.
Mas si alguno se irrita,
murmúreme también, ¿quién se lo quita?   110

---

89   *mancilla:* lástima.
90   *ropilla:* prenda que se viste sobre el jubón, pero también, simplemente,
la ropa pobre. Aquí, en sentido degradador.
91   *centones:* mantas bastas, remendadas (metafóricamente, los poemas hechos con versos ajenos).
96   (estar) *alcanzado:* «Lo mismo que estar adeudado, o empeñado»
(*Dic. Aut.*).

No haya miedo que en eso me fatigue
ni que a ninguno obligue
a que encargue su alma,
téngansela en su palma
y haga lo que quisiere,   115
pues su sudor le cuesta al que leyere.
Y si ha de disgustarse con leello,
vénguense del trabajo con mordello,
y allá me las den todas,
pues yo no me he de hallar en esas bodas.   120
¿Ven?, pues esto de bodas es constante
que lo dije por sólo el consonante;
si alguno halla otra voz que más expresa,
yo le doy mi poder y quíteme ésa.

    Mas volviendo a mi arenga comenzada,   125
¡válgate por Lisarda retratada,
y qué difícil eres!
No es mala propiedad en las mujeres.
Mas ya lo prometí, cumplillo es fuerza,
aunque las manos tuerza,   130
a acabarlo me obligo;
pues tomo bien la pluma, y ¡Dios conmigo!
Vaya pues de retrato;
denme un «Dios te socorra» de barato.
¡Ay!, con toda la trampa   135
que una musa de la hampa
a quien ayuda tan propicio Apolo,
se haya rozado con Jacinto Polo
en aquel conceptillo desdichado,
¡y pensarán que es robo muy pensado!   140
Es, pues, Lisarda, es pues, ¡ay Dios, qué aprieto!
No sé quién es Lisarda, les prometo;

112-113   matarlo.
114-122   Alusiones a distintos refranes.
121   *constante:* (part. del verbo «constar») evidencia o prueba.
134   *de barato:* de propina.
141-160   Versos donde se burla de los largos exordios o introducciones
al tema concreto del poema. «Defecto», si lo es, en el que casi siempre «cae»
Sor Juana.

que mi atención sencilla,
pintarla prometió, no definilla.
Digo pues, ¡oh qué *pueses* tan soeces!;   145
todo el papel he de llenar de *pueses*.
¡Jesús, qué mal empiezo!
Principio iba a decir, ya lo confieso,
y acordéme al instante
que *principio* no tiene consonante;   150
perdonen, que esta mengua
es de que no me ayuda bien la lengua.
¡Jesús!, y qué cansados
estarán de esperar desesperados
los tales mis oyentes;   155
mas si esperar no gustan impacientes
y juzgaren que es largo y que es pesado,
vayan con Dios, que ya eso se ha acabado;
que quedándome sola y retirada,
mi borrador haré más descansada.   160

   Por el cabello empiezo, esténse quedos,
que hay aquí que pintar muchos enredos;
no hallo comparación que bien les cuadre:
¡que para poco me parió mi madre!
¿Rayos del sol? Ya aqueso se ha pasado,   165
la pregmática nueva lo ha quitado.
¿Cuerda de arco de amor, en dulce trance?;
eso es llamarlo cerda, en buen romance.
¡Qué linda ocasión era
de tomar la ocasión por la mollera!   170
Pero aquesa ocasión ya se ha pasado,
y calva está de haberla repelado.
Y así en su calva lisa
su cabellera irá también postiza,
y el que llega a cogella,   175
se queda con el pelo y no con ella;
y en fin después de tanto dar en ello,
¿qué tenemos, mi musa, de cabello?

---

166   *pregmática:* decreto, ley. Aquí, las normas poéticas.
171-172   Alusión al refrán: «la ocasión la pintan calva».

El de Absalón viniera aquí nacido,
por tener mi discurso suspendido;   180
mas no quiero meterme yo en hondura,
ni en hacerme que entiendo de Escritura.
En ser cabello de Lisarda quede
que es lo que encarecerse más se puede,
y bájese a la frente mi reparo;   185
gracias a Dios que salgo hacia lo claro,
que me pude perder en su espesura,
si no saliera por la comisura.
Tendrá, pues, la tal frente,
una caballería largamente,   190
según está de limpia y despejada;
y si temen por esto verla arada,
pierdan ese recelo,
que estas caballerías son del cielo.
¿Qué apostamos que ahora piensan todos,   195
que he perdido los modos
del estilo burlesco,
pues que ya por los cielos encarezco?
Pues no fue ese mi intento,
que yo no me acordé del firmamento,   200
porque mi estilo llano,
se tiene acá otros cielos más a mano;
que a ninguna belleza se le veda
el que tener dos cielos juntos pueda.
¿Y cómo? Uno en su boca, otro en la frente,   205
¡por Dios que lo he enmendado lindamente!
      Las cejas son, ¿agora diré arcos?
No, que es su consonante luego zarcos,

_____

179-180   Absalón, hijo de David, conspiró contra su padre, por lo que
hubo de huir de Jerusalén. En su huida se le enredó la larga cabellera en las
ramas de un árbol, quedando suspendido. Joab, que le perseguía, le dio muerte. _Nacido:_ a propósito.
190   _caballería:_ «Se llama también en las Indias cierto repartimiento de tierras o haciendas» (_Dic. Aut._). En la _Recopilación de Indias_ se define como un solar de 100 pies de ancho y 200 de largo.
192   _arada:_ en el caso de la frente, «con arrugas».
208   _zarcos:_ de color azul claro.

y si yo pinto zarca su hermosura,
dará Lisarda al diablo la pintura   210
y me dirá que sólo algún demonio
levantara tan falso testimonio.
Pues yo lo he de decir, y en esto agora
conozco que del todo soy pintora,
que mentir de un retrato en los primores,   215
es el último examen de pintores.
En fin, ya con ser arcos se han salido;
mas, ¿qué piensan que digo de Cupido
o el que es la paz del día?
Pues no son sino de una cañería   220
por donde encaña el agua a sus enojos;
por más señas, que tiene allí dos ojos.
¿Esto quién lo ha pensado?
¿Me dirán que esto es viejo y es trillado?
Mas ya que los nombré, fuerza es pintallos,   225
aunque no tope verso en qué colgallos;
¡nunca yo los mentara
que quizás al lector se le olvidara!

    Empiezo a pintar pues; nadie se ría
de ver que titubea mi Talía,   230
que no es hacer buñuelos,
pues tienen su pimienta los ojuelos;
y no hallo, en mi conciencia,
comparación que tenga conveniencia
con tantos arreboles.   235
¡Jesús!, ¿no estuve en un tris de decir soles?
¡Qué grande barbarismo!
Apolo me defienda de sí mismo,
que a los que son de luces sus pecados,
los veo condenar de alucinados;   240

217-222   No son el arco de Cupido, ni el arco iris que surge después de la
tormenta (v. 219), sino un acueducto donde vierten los ojos las lágrimas (vv.
220-222). Cfr. MP.
236-242   Frente al abuso poético de la imagen del sol, SJ pide ayuda a
Apolo (él mismo, Sol, y dios de la poesía), no le vaya a ocurrir como a los
alumbrados, herejes de la fe. El v. 242 hace referencia al refrán «cuando las
barbas de tu vecino veas rapar, pon las tuyas a remojar».

y temerosa yo, viendo su arrojo,
trato de echar mis luces en remojo.
Tentación solariega en mí es extraña;
¡que se vaya a tentar a la montaña!
En fin, yo no hallo símil competente   245
por más que doy palmadas en la frente
y las uñas me como;
¿dónde el *viste* estará y el *así como,*
que siempre tan activos
se andan a principiar comparativos?   250
Mas, ¡ay!, que donde *vistes* hubo antaño,
no hay *así como* hogaño.
Pues váyanse sin ellos muy serenos,
que no por eso dejan de ser buenos
y de ser manantial de perfecciones,   255
que no todo ha de ser comparaciones,
y ojos de una beldad tan peregrina,
razón es ya que salgan de madrina,
pues a sus niñas fuera hacer ultraje
querer tenerlas siempre en pupilaje.   260
En fin, nada les cuadra, que es locura
al círculo buscar la cuadratura.
    Síguese la nariz, y es tan seguida,
que ya quedó con esto definida;
que hay nariz tortizosa, tan tremenda,   265
que no hay geómetra alguno que la entienda.
Pásome a las mejillas,
y aunque es su consonante maravillas,
no las quiero yo hacer predicadores
que digan: «Aprended de mí», a las flores;   270
mas si he de confesarles mi pecado,
algo el carmín y grana me ha tentado,

243-244 Juego de palabras: «sol»-«solar» (casa noble). Las casas so-
lariegas de mayor prestigio eran las del norte de España (alusión a la
montaña).
258 Ya es razonable dejar de hablar de los ojos de Lisarda. La *madrina* es
Sor Juana.
265 *tortizosa:* en el diccionario aparece «torticera»: que no se ajusta a las
leyes y a la razón.

mas agora ponérsela no quiero;
si ella la quiere, gaste su dinero,
que es grande bobería   275
el quererla afeitar a costa mía.
Ellas, en fin, aunque parecen rosa,
lo cierto es que son carne y no otra cosa.
    ¡Válgame Dios, lo que se sigue agora!
Haciéndome está cocos el Aurora   280
por ver si la comparo con su boca,
y el oriente con perlas me provoca;
pero no hay que mirarme,
que ni una sed de oriente ha de costarme.
Es, en efecto, de color tan fina,   285
que parece bocado de cecina;
y no he dicho muy mal, pues de salada,
dicen que se le ha puesto colorada.
¿Ven cómo sé hacer comparaciones
muy propias en algunas ocasiones?   290
Y es que donde no piensa el que es más vivo,
salta el comparativo;
y si alguno dijere que es grosera
una comparación de esta manera,
respóndame la musa más ufana: 295
¿es mejor el gusano de la grana,
o el clavel, que si el gusto los apura,
hará echar las entrañas su amargura?
Con todo, numen mío,
aquesto de la boca va muy frío: 300
yo digo mi pecado,
ya está el pincel cansado;
pero pues tengo ya frialdad tanta,
gastemos esta nieve en la garganta,

---

276 *afeitar:* maquillar.
280 *hacer cocos:* hacer gestos.
284 *ni una sed de Oriente:* frase equivalente a la señalada por el *Dic. Aut.:*
«No dar ni aun una sed de agua», con el significado de «escasez, miseria». SJ
señala que ni siquiera mencionará las perlas orientales.
300 *va muy frío:* sin gracia.

que la tiene tan blanca y tan helada,   305
que le sale la voz garapiñada.
    Mas por sus pasos, yendo a paso llano,
se me vienen las manos a la mano:
aquí habré menester grande cuidado,
que ya toda la nieve se ha gastado,   310
y para la blancura que atesora,
no me ha quedado ni una cantimplora;
y fue la causa de esto
que como iba sin sal, se gastó presto.
Mas, puesto que pintarla solicito,   315
¡por la Virgen!, que esperen un tantito,
mientras la pluma tajo
y me alivio un poquito del trabajo;
y por decir verdad, mientras suspensa
mi imaginación piensa   320
algún concepto que a sus manos venga.
¡Oh si Lisarda se llamara Menga!
¡Qué equívoco tan lindo me ocurría,
que sólo por el nombre se me enfría!
Ello, fui desgraciada   325
en estar ya Lisarda bautizada.
Acabemos, que el tiempo nunca sobra;
a las manos, y manos a la obra.
    Empiezo por la diestra
que, aunque no es menos bella la siniestra,   330
a la pintura, es llano,
que se le ha de asentar la primer mano.
Es, pues, blanca y hermosa con exceso,
porque es de carne y hueso,
no de marfil ni plata, que es quimera   335
que a una estatua servir sólo pudiera;

---

306 *garapiñar:* «cuajar o condensar las partes de un licor con artificio de
nieve o hielo» (*Dic. Aut.*).

312 *cantimplora:* «vasija de plata, cobre o estaño, que sirve para enfriar el
agua: las cuales son como garrafas con su cuello largo, y más ancho que las de
vidrio» (*Dic. Aut.*).

314 *sal:* «la agudeza, gracia, o viveza en lo que se dice» (*Dic. Aut.*).

317 *la pluma tajo:* cortar la pluma de ave para seguir escribiendo.

y con esto, aunque es bella,
sabe su dueño bien servirse de ella,
y la estima bizarra,
más que no porque luce, porque agarra;   340
pues no le queda en fuga la siniestra,
porque aunque no es tan diestra
y es algo menos en su ligereza,
no tiene un dedo menos de belleza.
Aquí viene rodada   345
una comparación acomodada;
porque no hay duda, es llano,
que es la una mano como la otra mano.
Y si alguno dijere que es friolera
el querer comparar de esta manera,   350
respondo a su censura
que el tal no sabe lo que se murmura,
pues pudiera muy bien naturaleza
haber sacado manca esta belleza,
que yo he visto bellezas muy hamponas,   355
que si mancas no son, son mancarronas.
    Ahora falta a mi musa la estrechura
de pintar la cintura;
en ella he de gastar poco capricho,
pues con decirlo breve, se está dicho: 360
porque ella es tan delgada,
que en una línea queda ya pintada.
El pie yo no lo he visto, y fuera engaño
retratar el tamaño,
ni mi musa sus puntos considera   365
porque no es zapatera;
pero según airoso el cuerpo mueve,
debe el pie de ser breve,
pues que es, nadie ha ignorado,

---

356 *mancarronas:* «aumentativo de "marcas"; y aquí, inhábiles, inútiles,
buenas para nada» (MP).

367-370 Si el verso (pie) de arte mayor es largo y pesado, el de Lisarda,
dada su agilidad (v. 367), tiene que ser pequeño y ligero, equivaliendo al verso de arte menor. Tópico sobre los pies «diminutos» de las damas.

el pie de arte mayor, largo y pesado;   370
    y si en cuenta ha de entrar la vestidura,
que ya es el traje parte en la hermosura,
«el hasta aquí» del garbo y de la gala
a la suya no iguala,
de fiesta o de revuelta,   375
porque está bien prendida y más bien suelta.
Un adorno garboso y no afectado,
que parece descuido y es cuidado;
un aire con que arrastra la tal niña
con aseado desprecio la basquiña,   380
en que se van pegando
las almas entre el polvo que va hollando.
Un arrojar el pelo por un lado,
como que la congoja por copado,
y al arrojar el pelo,   385
descubrir un: ¡por tanto digo «cielo»,
quebrantando la ley!, mas ¿qué importara
que yo la quebrantara?
A nadie cause escándalo ni espanto,
pues no es la ley de Dios la que quebranto;   390
y con tanto, si a ucedes les parece,
será razón que ya el retrato cese,
que no quiero cansarme,
pues ni aun el costo de él han de pagarme;
veinte años de cumplir en mayo acaba: 395
Juana Inés de la Cruz la retrataba.

---

376 *prendida:* engalanada.
384 *por copado:* por abundante.
386-387 SJ está a punto de «descubrir un cielo» (el de su frente), recu-
rriendo a uno de los tópicos de los que se burla en el poema.

Redondillas

Arguye de inconsecuentes el gusto y la censura de los hombres, que en las mujeres acusan lo que causan.

Hombres necios que acusáis
a la mujer sin razón,
sin ver que sois la ocasión,
de lo mismo que culpáis;
    si con ansia sin igual 5
solicitáis su desdén,
¿por qué queréis que obren bien,
si las incitáis al mal?
    Combatís su resistencia,
y luego, con gravedad, 10
decís que fue liviandad
lo que hizo la diligencia.
    Parecer quiere el denuedo
de vuestro parecer loco,
al niño que pone el coco 15
y luego le tiene miedo.
    Queréis, con presunción necia,
hallar a la que buscáis,
para pretendida, Tais,
y en la posesión, Lucrecia. 20
    ¿Qué humor puede ser más raro
que el que falto de consejo,
él mismo empaña el espejo,
y siente que no esté claro?

[56]   (Cast., 85; MP, I, 228; SR, 181.)
   Tópico literario. MP (págs. 488-491) recoge antecedentes y algunas «refutaciones» que se le hicieron al poema de SJ.
   19   *Tais:* cortesana ateniense muy famosa.
   20   *Lucrecia:* dama de la Roma clásica, en la que se representó la fidelidad conyugal.

Con el favor y el desdén   25
tenéis condición igual,
quejándoos, si os tratan mal,
burlándoos, si os quieren bien.

Opinión ninguna gana,
pues la que más se recata,   30
si no os admite, es ingrata,
y si os admite, es liviana.

Siempre tan necios andáis
que, con desigual nivel,
a una culpáis por cruel,   35
y a otra por fácil culpáis.

¿Pues cómo ha de estar templada
la que vuestro amor pretende,
si la que es ingrata, ofende,
y la que es fácil, enfada?   40

Mas entre el enfado y pena
que vuestro gusto refiere,
bien haya la que no os quiere,
y quejaos en hora buena.

Dan vuestras amantes penas   45
a sus libertades alas,
y después de hacerlas malas,
las queréis hallar muy buenas.

¿Cuál mayor culpa ha tenido
en una pasión errada,   50
la que cae de rogada,
o el que ruega de caído?

¿O cuál es más de culpar,
aunque cualquiera mal haga,
la que peca por la paga,   55
o el que paga por pecar?

¿Pues para qué os espantáis
de la culpa que tenéis?
Queredlas cual las hacéis,
o hacedlas cual las buscáis.   60

Dejad de solicitar, court
y después, con más razón,
acusaréis la afición

de la que os fuere a rogar.
     Bien con muchas armas fundo   65
que lidia vuestra arrogancia,
pues en promesa e instancia,
juntáis diablo, carne y mundo.

[57]

Soneto

     Aunque eres, Teresilla, tan *muchacha*,
le das quehacer al pobre de *Camacho*,
porque dará tu disimulo un *chacho*
a aquel que se pintare más sin *tacha*.
     De los empleos que tu amor *despacha*   5
anda el triste cargado como un *macho*,
y tiene tan crecido ya el *penacho*
que ya no puede entrar si no se *agacha*.
     Estás a hacerle burlas ya tan *ducha*
y a salir de ellas bien estás tan *hecha*,   10
que de lo que tu vientre *desembucha*
     sabes darle a entender, cuando *sospecha*,
que has hecho, por hacer su hacienda *mucha*
de ajena siembra, suya la *cosecha*.

---

[57]   (I, 1690, 46; MP, I, 285.)
3   *chacho:* muchacho; que le dará un hijo.
7   *penacho:* los cuernos, símbolo del marido engañado.

[58]

Redondillas, que muestran a un sargento las circunstancias que le faltan.

De alarbarda vencedora
un tal sargento se armó;
mas luego él y ella paró
en lo que contaré ahora:
a ella, una A se desvanece,   5
porque la *albarda* suceda;
a él el *sar,* en *sarna* queda;
y el *argento* no parece.

[59]

Con un desengaño satírico a una presumida de hermosa.

Que te dan en la hermosura
la palma, dices, Leonor;
la de virgen es mejor,
que tu cara la asegura.
No te precies, con descoco,   5
que a todos robas el alma:
que si te han dado la palma,
es, Leonor, porque eres coco.

---

[58]   (II, 1692, 298; MP, I, 231.)
1   La «alabarda», especie de lanza que termina en una hoja ancha, dio
nombre a la Guardia Real de los Alabarderos. De ahí, el acentuado carácter
satírico del poema.
[59]   (II, 1692, 297; MP, I, 230.)

[60]

En que descubre digna estirpe a un borracho linajudo.

Porque tu sangre se sepa,
cuentas a todos, Alfeo,
que eres de reyes. Yo creo
que eres de muy buena cepa;
    y que, pues a cuantos topas   5
con esos reyes enfadas,
que, más que reyes de espadas,
debieron de ser de copas.

[61]

Que dan el colirio merecido a un soberbio.

El no ser de padre honrado
fuera defecto, a mi ver,
si como recibí el ser
de él, se lo hubiera yo dado.
    Mas piadosa fue tu madre,   5
que hizo que a muchos sucedas:
para que, entre tantos, puedas
tomar el que más te cuadre.

---

[60] (II, 1692, 297; MP, I, 230.)
[61] (II, 1692, 297; MP, I, 230.)
Título: Metafóricamente, el medicamento que se utiliza en enfermedades oculares ha de aplicarse a quien critica a los demás y no ve sus propios defectos.

*Romance con que respondió nuestra poetisa al caballero recién llegado
a Nueva España que le había escrito el romance «Madre que haces
chiquitos».*

¡Válgate Apolo por hombre!
No acabo de santiguarme
(más que vieja cuando Jove
dispara sus triquitraques)
de tan paradoja idea,   5
de tan remoto dictamen;
sin duda que éste el autor
es de los *Extravagantes*.

Buscando dice que viene
a aquel pájaro que nadie   10
(por más que lo alaben todos)
ha sabido a lo que sabe;
para quien las cetrerías
se inventaron tan de balde,
que es un gallina el halcón   15
y una mandria el girifalte,
el azor un avechucho,
una marimanta el sacre,
un cobarde el tagarote

---

[62]   (II, 1692, 320; MP, I, 143.)

4   *triquitraques:* «voz inventada para explicar el sonido ruidoso» *(Dic.
Aut.).* Los rayos y truenos de Júpiter.

8   *Extravagantes:* las leyes que hasta 1500 habían quedado fuera de la co-
lección, «Corpus» del Derecho Canónico, recogida a fines del siglo XVI, bajo
el papado de Gregorio XIII (MP).

10   Se refiere al Ave Fénix, con quien había comparado en su poema a
Sor Juana.

16   *mandria:* de poco valor, cobarde. *Gerifalte:* especie de halcón de gran
tamaño, casi como el águila.

18   *marimanta:* «fantasma o figura espantosa, que se finge para poner miedo a los niños» *(Dic. Aut.).*

19   *tagarote:* especie de halcón, muy belicoso.

y un menguado el gavilane;   20
   a quien no se le da un bledo
de que se prevenga el guante,
pihuelas y capirote,
con todos los demás trastes,
   que bien mirados, son unos   25
trampantojos boreales,
que inventó la golosina
para alborotar el aire;
   de cuyo antojo quedaron,
por mucho que lo buscasen,   30
Sardanápalo en ayunas,
Heliogábalo con hambre.
   De éste, el pobre caballero
dice que viene en alcance,
revolviendo las provincias   35
y trasegando los mares.
   Que, para hallarlo, de Plinio
un itinerario trae,
y un mandamiento de Apolo,
con las señas de *rara avis*.   40
   ¿No echas de ver, peregrino,
que el Fénix sin semejante
es de Plinio la mentira
que de sí misma renace?
   En fin, hasta aquí, es nonada,   45
pues nunca falta quien cante:
Daca el Fénix, toma el Fénix,
en cada esquina de calle.

---

   23 *pihuelas:* las correas que sujetan las patas del halcón. *Capirote:* la
caperuza que se pone al halcón. Todo ello en relación al arte de cetrería
(vv. 22-24).
   26 *trampantojos:* «enredo o artificio, para engañar»» (*Dic. Aut.*).
   27 *golosina:* «metafóricamente significa el deseo o gusto desreglado de alguna cosa» (*Dic. Aut.*).
   31-32 Emperadores asirio y romano, respectivamente. Según la leyenda,
su deseo de comer un ave fénix no pudo cumplirse, ya que no pudieron ca-
zarla. Referencia también en vv. 10-12.
   47 *daca:* «da acá», o «dame acá».

Lo mejor es que es a mí
a quien quiere encenizarme,   50
o enfenizarme, supuesto
que allá uno y otro se sale.
    Dice que yo soy la Fénix
que, burlando las edades,
ya se vive, ya se muere,   55
ya se entierra, ya se nace:
    la que hace de cuna y tumba
diptongo tan admirable
que la mece renacida
la que la guardó cadáver;   60
    la que en fragantes incendios
de las gomas más suaves,
es parecer consumirse
volver a vivificarse;
    la mayorazga del sol,   65
que cuando su pompa esparce,
le engasta Ceilán el pico,
le enriza Ofir el plumaje;
    la que mira con zafiros,
la que vuela con diamantes,   70
la que pica con rubíes
y respira suavidades;
    la que Átropos y Laquesis
es de su vital estambre,
pues es la que corta el hilo   75
y la que vuelve a enhebrarle.
    Que yo soy, jurado Apolo,
la que vive de portante,
y en la vida, como en venta,
ya se mete, ya se sale.   80

_____

50-52 *encenizarme:* hacerme ceniza; *enfenizarme:* hacerme fénix. (Son neologismos propios de la poesía de tipo jocoso.) Alusión al mito del ave fénix.

73 *Átropos y Laquesis:* dos de las tres parcas. (Alusión a sus funciones en los vv. 75 y 76.)

78 *portante:* «la marcha o paso apresurado» *(Dic. Aut.).*

Que es Arabia la feliz,
donde sucedió a mi madre
mala noche y parir hija,
según dicen los refranes
   (refranes, dije, y es que   85
me lo rogó el consonante,
y porque hay regla que dice:
pro singulari plurale);
   en fin, donde le pasó
la rota de Roncesvalles,   90
aunque quien nació de nones
non debiera tener pares.
   Que yo soy la que andar suele
en símiles elegantes,
abultando los renglones   95
y engalando romances.
   Él lo dice, y de manera
eficaz lo persuade
que casi estoy por creerlo,
y de afirmarlo por casi.   100
   ¿Que fuera, que fuera yo,
y no lo supiera antes?
¿Pues quién duda, que es el Fénix
el que menos de sí sabe?
   Por Dios, yo lo quiero ser,   105
y pésele a quien pesare;
pues de que me queme yo,
no es razón que otro se abrase.
   Yo no pensaba en tal cosa;
mas si él gusta graduarme   110
de Fénix ¿he de echar yo
aqueste honor en la calle?

---

81   La patria del Fénix.

89-92   En Arabia, donde nació el Ave Fénix (por referencia al v. 83 utiliza el símil de la derrota *[rota]* de Roncesvalles), que es única *(nació de nones),* por lo que los doce Pares de Carlomagno podrían obviarse en esta ocasión. *Non:* uso arcaico intencionado.

97   El Caballero del título del poema.

¿Qué mucho que yo lo admita,
pues nadie puede espantarse
de que haya quien se enfenice   115
cuando hay quien se ensalamandre?
    Y de esto segundo, vemos
cada día los amantes
al incendio de unos ojos
consumirse sin quemarse.   120
    Pues luego, no será mucho,
ni cosa para culparme,
si hay salamandras barbadas,
que haya Fénix que no barbe:
    Quizá por eso nací   125
donde los rayos solares
me mirasen de hito en hito,
no bizcos, como a otras partes.
    Lo que me ha dado más gusto
es ver que, de aquí adelante,   130
tengo solamente yo
de ser todo mi linaje.
    ¿Hay cosa como saber
que ya dependo de nadie,
que he de morirme y vivirme   135
cuando a mí se me antojare?
    ¿Que no soy término ya
de relaciones vulgares,
ni ha de cansarme el pariente
ni molestarme el compadre?   140
    ¿Que yo soy toda mi especie
y que a nadie he de inclinarme,
pues cualquiera debe sólo
amar a su semejante?
    ¿Que al médico no he de ver   145

115-116   Cfr. v. 50. La «salamandra» forma parte de los tópicos de la
poesía amorosa: el fuego del amor que se mantiene.
124   o sea, mujer.
125-128   En la zona tórrida (en México) igual que el Ave Fénix en
Arabia.

hacer juicio de mi achaque,
pagándole el que me cure
tanto como el que me mate?

    ¿Que mi tintero es la hoguera
donde tengo que quemarme,   150
supliendo los algodones
por aromas orientales?

    ¿Que las plumas con que escribo
son las que al viento se baten,
no menos para vivirme   155
que para resucitarme?

    ¿Que no he de hacer testamento,
ni cansarme en *ítem mases*
ni inventario, pues yo misma
he de volver a heredarme?   160

    Gracias a Dios, que ya no
he de moler chocolate,
ni me ha de moler a mí
quien viniere a visitarme.

    Ya, con estas buenas nuevas,   165
de hoy más, tengo de estimarme,
y de etiquetas de Fénix
no he de perder un instante;

    ni tengo ya de sufrir
que en mí los poetas hablen,   170
ni ha de verme de sus ojos
el que no me lo pagare.

    ¿Cómo? ¿Eso se querían,
tener al Fénix de balde?
¿Para qué tengo yo pico,   175
sino para despicarme?

    ¡Qué dieran los saltimbancos,

---

151 *algodones:* «Se entiende cualquier materia, ya sea de seda, ya de lana, que se pone dentro del tintero, para que recoja la tinta, y la pluma tome sólo la que fuera menester para ir escribiendo» (*Dic. Aut.*).

158 *ítem mases:* fórmula usual en testamentos y todo tipo de escrituras para ir añadiendo las disposiciones. «Dícese vulgarmente Ítem más, aunque el más está de sobra» (*Dic. Aut.*).

a poder, por agarrarme
y llevarme, como monstruo,
por esos andurriales   180
   de Italia y Francia, que son
amigas de novedades
y que pagaran por ver
la cabeza del gigante,
   diciendo: *Quien ver el Fénix*   185
quisiere, dos cuartos pague,
que lo muestra maese Pedro
en la posada de Jaques!
   ¡Aquesto no! No os veréis
en ese Fénix, bergantes;   190
que por eso está encerrado
debajo de treinta llaves.
   Y supuesto, caballero,
que a costa de mil afanes,
en la Invención de la Cruz,   195
vos la del Fénix hallasteis,
   por modo de privilegio
de inventor, quiero que nadie
pueda, sin vuestra licencia,
a otra cosa compararme.   200

---

192   En la clausura del convento.
195   *en la Invención de la Cruz:* se corresponde con el 3 de mayo (MP).

[63]

ROMANCE

En que responde la poetisa, con la discreción que acostumbra (al conde de la Granja, que le había escrito el romance «A vos, mejicana musa»...); y expresa el nombre del caballero peruano que la aplaude.

Allá va, aunque no debiera
(incógnito señor mío),
la respuesta de portante
a los versos de camino.
No debiera: porque cuando   5
se oculta el nombre, es indicio
que no habéis querido ser
hombre de nombre conmigo;
por lo cual, fallamos que
fuera muy justo castigo,   10
sin perdonaros por pobre,
dejaros por escondido.
Pero el diablo del romance
tiene, en su oculto artificio,
en cada copla una fuerza   15
y en cada verso un hechizo.
Tiene un agrado tirano
que, en lo blando del estilo,
el que suena como ruego
apremia como dominio.   20
Tiene una virtud de quien
el vigor penetrativo
se introduce en las potencias,

---

[63]   (III, 1700, 150; MP, I, 153.)

3   *de portante:* apresurada. Cfr. lo anotado al v. 78 del poema anterior.

11-12   Frase que SJ toma de Góngora. Cfr. MP.

23   *potencias:* las facultades del alma: entendimiento, voluntad y memoria.

234

sin pasar por los sentidos.
　　Tiene una altiva humildad,　　　　25
que con estruendo sumiso
se rinde, para triunfar
con las galas de rendido.
　　Tiene qué sé yo qué yerbas,
qué conjuros, qué exorcismos,　　　　30
que ni las supo Medea
ni Tesalia las ha visto.
　　Tiene unos ciertos sonsaques,
instrumentos atractivos,
garfios del entendimiento　　　　　　35
y del ingenio gatillos
　　que al raigón más encarnado
del dictamen más bien fijo
que haya, de callar, harán
salir la muela y el grito.　　　　　　40
　　Por esto, como forzada,
sin saber lo que me digo,
os respondo, como quien
escribe sin albedrío.
　　Vi vuestro romance, y　　　　　　45
una vez y otras mil visto,
por mi fe jurada, que
juzgo que no habla conmigo:
　　porque yo bien me conozco,
y no soy por quien se dijo　　　　　　50
aquello de haber juntado
milagros y basiliscos.
　　Verdad es, que acá a mis solas,
en unos ratos perdidos,
a algunas vueltas de cartas　　　　　55
borradas, las sobre-escribo,

31　*Medea:* famosa hechicera que ayudó a Jasón a conseguir el vellocino de oro y se fue con él a Tesalia.

33　*sonsaque:* «el acto o acción de sonsacar» (*Dic. Aut.*).

36　*gatillos:* instrumento, a modo de tenaza, para sacar muelas y dientes.

y para probar las plumas,
instrumentos de mi oficio,
hice versos, como quien
hace lo que hacer no quiso.   60
   Pero esto no pasó de
consultar, acá conmigo,
si podré entrar por fregona
de las madamas del Pindo,
   y si beber merecía   65
de los cristales nativos
castalios, que con ser agua
tienen efectos de vino,
   pues luego al punto levantan
unos flatos tan nocivos,   70
que dando al seso vaivenes
hacen columpiar el juicio,
   de donde se ocasionaron
los traspieses que dio Ovidio,
los tropiezos de Homero,   75
los vaguidos de Virgilio,
   y de todos los demás
que, fúnebres o festivos,
conforme les tomó el numen,
se han mostrado en sus escritos.   80
   Entre cuyos jarros yo
busqué, por modo de vicio,
si les sobraba algún trago
del alegre bebedizo,
   y (si no me engaño) hallé,   85
en el asiento de un vidrio,
de una mal hecha infusión
los polvos mal desleídos.
   No sé sobras de quién fueron;
pero, según imagino,   90

---

58   *mi oficio:* el de «contadora» en el convento. Cfr. MP.
64   *Pindo:* montaña de Grecia, consagrada a las musas.
67   *Castalia:* fuente consagrada a las musas; sus aguas son inspiradoras del numen poético.

fueron de un bribón aguado,
pues hace efectos tan fríos.
    Versifico desde entonces
y desde entonces poetizo,
ya en demócritas risadas,   95
ya en heráclitos gemidos.
    Consulté a las nueve hermanas,
que con sus flautas y pitos
andan, de una en otra edad,
alborotando los siglos.   100
    Híceles mi invocación
tal, cual fue Apolo servido,
con necesitadas plagas
y con clamores mendigos;
    y ellas, con piedad de verme   105
tan hambrienta de ejercicios,
tan sedienta de conceptos
y tan desnuda de estilos,
    ejercitaron las obras,
que nos pone el catecismo,   110
de misericordia, viendo
que tanto las necesito.
    Diome la madama Euterpe
un retazo de Virgilio,
que cercenó desvelado   115
porque lo escribió dormido;
    Talía me dio unas nesgas
que sobraron de un corpiño
de una tabernaria escena,
cuando le ajustó el vestido;   120
    Melpómene, una bayeta
de una elegía que hizo

95-96 Lugar común, que presenta a los dos filósofos griegos, uno siempre riendo, otro siempre llorando.

113   *Euterpe:* las musa bucólica.

117   *Talía:* la musa de la comedia. *Nesgas:* pieza de tela.

121   *Melpómene:* la musa de la tragedia. *Bayeta:* tela, en este caso, negra. Alusión a *Las Troyanas* de Séneca (MP).

Séneca, que a Héctor sirvió
de funesto frontispicio;

    Urania, musa estrellera,   125
un astrolabio, en que vido
las maulas de los planetas
y las tretas de los signos;

    y así, todas las demás
que, con pecho compasivo,   130
vestir al soldado pobre
quisieron jugar conmigo.

    Ya os he dicho lo que soy,
ya he contado lo que he sido;
no hay más que lo dicho, si   135
en algo vale mi dicho.

    Con que se sigue que no
puedo ser objeto digno
de los tan mal empleados
versos, cuanto bien escritos.   140

    Y no es humildad, porque
no es mi genio tan bendito
que no tenga más filaucia
que cuatrocientos Narcisos;

    mas no es tan desbaratado,   145
aunque es tan desvanecido,
que presuma que merece
lo que nadie ha merecido.

    De vuestra alabanza objeto
no encuentro, en cuantos he visto,   150
quien pueda serlo, si ya
no se celebrare él mismo.

    Si Dios os hiciera humilde
como tan discreto os hizo,
y os ostentarais de claro   155
como campáis de entendido,

    yo en mi lógica vulgar

---

125   *Urania:* la musa de la astronomía.
127   *maulas:* engaños.
143   *filaucia:* complacencia.

os pusiera un silogismo
que os hiciera confesar
que ése fue sólo el motivo,   160
    y que cuando en mí empleáis
vuestro ingenio peregrino,
es manifestar el vuestro
más que celebrar el mío.

    Con que quedándose en vos   165
lo que es sólo de vos digno,
es una acción inmanente
como verbo intransitivo;
    y así, yo no os lo agradezco,
pues sólo quedo, al oíros,   170
deudora de lo enseñado,
pero no de lo aplaudido.

    Y así, sabed que no estorba
el curioso laberinto
en que, Dédalo escribano,   175
vuestro nombre ocultar quiso:
    pues aunque quedó encerrado,
tiene tan claros indicios,
que si no es el *Mino-Tauro,*
se conoce el *Paulo-minus.*   180

    Pues si la combinatoria,
en que a veces *kirkerizo,*
en el cálculo no engaña
y no yerra en el guarismo,
    uno de los anagramas   185
que salen con más sentido,
de su volumosa suma
que ocupara muchos libros,
    dice... ¿Dirélo? Mas temo

---

180   *Paulo-minus:* según MP, referencia al salmo octavo del rey David, «lo
hiciste *poco menos* excelente que los ángeles». Es decir, «el hombre». Aunque
oculto, SJ dice haber descubierto el anagrama que esconde el nombre del autor, pero no nos da la clave. MP no consiguió descubrirla (Cfr. nota del
v. 185).
183   *kirkerizo:* verbo inventado por SJ sobre el nombre de Atanasius Kircher (Kirkerius, en latín), autor de un *Ars combinatoria.*

que os enojaréis conmigo   190
si del título os descubro
la fe, como del bautismo.
　　Mas ¿cómo podré callarlo,
si ya he empezado a decirlo,
y un secreto ya revuelto   195
puede dar un tabardillo?
　　Y así, para no tenerle,
diré lo que dice, y digo
que es el *conde de la Granja*.
Laus Deo. Lo dicho, dicho.   200

---

196   *tabardillo:* enfermedad infecciosa, puede ser el tifus.

Poesía religiosa

[64]

Romance

A la Encarnación.

Que hoy bajó Dios a la tierra
es cierto; pero más cierto
es, que bajando a María,
bajó Dios a mejor cielo.
 Por obediencia del Padre   5
se vistió de carne el Verbo,
mas tal, que le pudo hacer
comodidad el precepto.
 Conveniencia fue de todos
este divino misterio,   10
pues el hombre, de fortuna,
y Dios mejoró de asiento.
 Su Sangre le dió María
a logro, porque a su tiempo,
la que recibe encarnando   15
restituya redimiendo;
 si ya no es que, para hacer
la redención, se avinieron,
dando moneda la Madre,
y poniendo el Hijo el sello.   20

---

[64] (Cast., 205; MP, I, 162; SR, 293.)
14 *a logro:* «prestar o dar alguna cosa con usura» *(Dic. Aut.).* Ganando
mucho con el préstamo.

Un arcángel a pedir
bajó su consentimiento,
guardándole, en ser rogada,
de reina los privilegios.
¡Oh grandeza de María,   25
que cuando usa el Padre Eterno
de dominio con su Hijo,
use con ella de ruego!
A estrecha cárcel reduce
de su grandeza lo inmenso,   30
y en breve morada cabe
quien sólo cabe en sí mesmo.

[65]

Décimas

Glosa a San Josef.

¿Cuán grande, Josef, seréis,
cuando vivís en el cielo,
si cuando estáis en el suelo
a Dios por menor tenéis?

¿Quién habrá, Josef, que mida   5
la santidad que hay en vos,
si el llamaros padre, Dios,
ha de ser vuestra medida?
¿Qué pluma tan atrevida
en vuestro elogio hallaréis?   10
Pues si lo que merecéis,
el que os quiere definir,
por Dios os ha de medir,
¿cuán grande, Josef, seréis?

[65] (Cast., 208; MP, I, 266; SR, 296.)

Fue tanta la dignidad   15
que en este mundo tuvisteis,
que vos mismo no supisteis
toda vuestra santidad;
porque, acá, vuestra humildad
puso a vuestra virtud velo,   20
porque con tanto recelo
vuestra virtud ignoréis,
y sólo la conocéis,
cuando vivís en el cielo.

El Señor os quiso honrar   25
por tan eminente modo,
que aquél que lo manda todo,
de vos se dejó mandar.
Si favor tan singular
mereció acá vuestro celo,   30
no hay por qué tener recelo
de que por padre os tendrá
cuando estáis glorioso allá,
si cuando estáis en el suelo

vos os queréis humillar;   35
mas Dios, con obedecer,
nos quiso dar a entender,
lo que vos queréis negar.
Sois, en perfección, sin par,
y cuanto ocultar queréis   40
lo mucho que merecéis,
porque la naturaleza
conozca vuestra grandeza,
a Dios por menor tenéis.

ROMANCE

*En que expresa los efectos del amor divino, y propone morir amante, a
pesar de todo riesgo.*

Traigo conmigo un cuidado,
y tan esquivo, que creo
que, aunque sé sentirlo tanto,
aun yo misma no lo siento.

Es amor; pero es amor   5
que, faltándole lo ciego,
los ojos que tiene, son
para darle más tormento.

El término no es *a quo,*
que causa el pesar que veo: 10
que siendo el término el bien,
todo el dolor es el medio.

Si es lícito, y aun debido
este cariño que tengo,
¿por qué me han de dar castigo   15
porque pago lo que debo?

¡Oh cuánta fineza, oh cuántos
cariños he visto tiernos!
Que amor que se tiene en Dios
es calidad sin opuestos.   20

De lo lícito no puede
hacer contrarios conceptos,
con que es amor que al olvido
no puede vivir expuesto.

Yo me acuerdo, ¡oh nunca fuera!,   25

---

[66] (III, 1700, 134; MP, I, 166.)
6 *lo ciego:* referencia a Cupido, el amor terrenal.
9 *término a quo:* «por donde se empieza» (*Dic. Aut.*).
11 *el bien:* el amor de Dios.

que he querido en otro tiempo
lo que pasó de locura
y lo que excedió de extremo;
    mas como era amor bastardo,
y de contrarios compuesto,   30
fue fácil desvanecerse
de achaque de su ser mesmo.
    Mas ahora, ¡ay de mí!, está
tan en su natural centro,
que la virtud y razón   35
son quien aviva su incendio.
    Quien tal oyere, dirá
que, si es así, ¿por qué peno?
Mas mi corazón ansioso
dirá que por eso mesmo.   40
    ¡Oh humana flaqueza nuestra,
a donde el más puro afecto
aun no sabe desnudarse
del natural sentimiento!
    Tan precisa es la apetencia   45
que a ser amados tenemos,
que, aun sabiendo que no sirve,
nunca dejarla sabemos.
    Que corresponda a mi amor,
nada añade; mas no puedo,   50
por más que lo solicito,
dejar yo de apetecerlo.
    Si es delito, ya lo digo;
si es culpa, ya la confieso;
mas no puedo arrepentirme,   55
por más que hacerlo pretendo.
    Bien ha visto, quien penetra
lo interior de mis secretos,
que yo misma estoy formando
los dolores que padezco.   60
    Bien sabe que soy yo misma
verdugo de mis deseos,
pues muertos entre mis ansias,
tienen sepulcro en mi pecho.

Muero, ¿quién lo creerá?, a manos   65
de la cosa que más quiero,
y el motivo de matarme
es el amor que le tengo.
    Así alimentando, triste,
la vida con el veneno,   70
la misma muerte que vivo
es la vida con que muero.
    Pero valor, corazón:
porque en tan dulce tormento,
en medio de cualquier suerte   75
no dejar de amar protesto.

[67]

Romance al mismo intento.

    Mientras la Gracia me excita
por elevarme a la esfera,
más me abate a lo profundo
el peso de mis miserias.
    La virtud y la costumbre   5
en el corazón pelean,
y el corazón agoniza
en tanto que lidian ellas.
    Y aunque es la virtud tan fuerte,
temo que tal vez la venzan,   10
que es muy grande la costumbre
y está la virtud muy tierna.
    Obscurécese el discurso
entre confusas tinieblas;
pues ¿quién podrá darme luz   15
si está la razón a ciegas?
    De mí mesma soy verdugo
y soy cárcel de mí mesma.

---

[67]   (III, 1700, 137; MP, I, 168.)

¿Quién vio que pena y penante
una propia cosa sean?   20
    Hago disgusto a lo mismo
que más agradar quisiera;
y del disgusto que doy,
en mí resulta la pena.
    Amo a Dios y siento en Dios;   25
y hace mi voluntad mesma
de lo que es alivio, cruz;
del mismo puerto, tormenta.
    Padezca, pues Dios lo manda;
mas de tal manera sea,   30
que si son penas las culpas,
que no sean culpas las penas.

                    [68]

                  ROMANCE

Que califica de amorosas acciones todas las de Cristo para con las al-
mas: en afectos amorosos a Cristo Sacramentado, día de Comunión.

    Amante dulce del alma,
bien soberano a que aspiro;
tú que sabes las ofensas
castigar a beneficios;
    divino imán en que adoro: 5
hoy, que tan propicio os miro,
que me animáis la osadía
de poder llamaros mío;
    hoy, que en unión amorosa
pareció a vuestro cariño,   10
que si no estabais en mí,
era poco estar conmigo;
    hoy, que para examinar

_____

[68]   (III, 1700, 138; MP, I, 169.)

el afecto con que os sirvo,
al corazón en persona   15
habéis entrado vos mismo,

    pregunto: ¿Es amor o celos
tan cuidadoso escrutinio?
Que quien lo registra todo,
da de sospechar indicios.   20

    Mas ¡ay, bárbara ignorante,
y qué de errores he dicho,
como si el estorbo humano
obstara al lince divino!

    Para ver los corazones   25
no es menester asistirlos;
que para vos, son patentes
las entrañas del abismo.

    Con una intuición, presente
tenéis, en vuestro registro,   30
el infinito pasado
hasta el presente finito.

    Luego no necesitabais
para ver el pecho mío,
si lo estáis mirando sabio,   35
entrar a mirarlo fino.

    Luego es amor, no celos,
lo que en vos miro.

Poesía filosófico-moral

[69]

SONETO

Procura desmentir los elogios que a un retrato de la poetisa inscribió la verdad, que llama pasión.

Este, que ves, engaño colorido,
que del arte ostentando los primores,
con falsos silogismos de colores
es cauteloso engaño del sentido;
    éste, en quien la lisonja ha pretendido   5
excusar de los años los horrores,
y venciendo del tiempo los rigores,
triunfar de la vejez y del olvido:
    es un vano artificio del cuidado,
es una flor al viento delicada,   10
es un resguardo inútil para el hado,
    es una necia diligencia errada,
es un afán caduco y, bien mirado,
es cadáver, es polvo, es sombra, es nada.

---

[69] (Cast., 3; MP, I, 277; SR, 90.)

1 Hipérbaton característico con que comienzan muchos poemas barrocos. Recuérdese, por ejemplo, el comienzo del *Polifemo* de Góngora: «Estas que me dictó rimas sonoras.»

14 Reflejo del último verso del soneto de Góngora *Mientras por competir con tu cabello:* «en tierra, en humo, en polvo, en sombra, en nada».

Soneto

Quéjase de la suerte: insinúa su aversión a los vicios, y justifica su divertimento a las Musas.

En perseguirme, mundo, ¿qué interesas?
¿En qué te ofendo, cuando sólo intento
poner bellezas en mi entendimiento,
y no mi entendimiento en las bellezas?

Yo no estimo tesoros ni riquezas;　　　　　　　　　5
y así, siempre me causa más contento
poner riquezas en mi entendimiento,
que no mi entendimiento en las riquezas.

Yo no estimo hermosura que, vencida,
es despojo civil de las edades,　　　　　　　　　　10
ni riqueza me agrada fementida,

teniendo por mejor en mis verdades,
consumir vanidades de la vida
que consumir la vida en vanidades.

[71]

Soneto

Muestra sentir que la baldonen por los aplausos de su habilidad.

¿Tan grande, ¡ay hado!, mi delito ha sido
que por castigo de él, o por tormento,
no basta el que adelanta el pensamiento,

---

[70]　(Cast., 6; MP, I, 277; SR, 94.)
7-8　*Var.:* MP, *«pensamiento»* en vez de *entendimiento.* Lo cambia para no repetir el *entendimiento* de los vv. 3-4.
9　*Var.:* MP, «*Y* no estimo.»
[71]　(Cast., 6; MP, I, 279; SR, 95.)
1　*mi delito:* su éxito como escritora.

sino el que le previenes al oído?

Tan severo en mi contra has procedido   5
que me persuado de tu duro intento,
a que sólo me diste entendimiento
porque fuese mi daño más crecido.

Dísteme aplausos para más baldones,
subirme hiciste para penas tales;   10
y aun pienso que me dieron tus traiciones
    penas a mi desdicha desiguales
porque, viéndome rica de tus dones,
nadie tuviese lástima a mis males.

[72]

SONETO

Escoge antes el morir que exponerse a los ultrajes de la vejez.

Miró Celia una rosa que en el prado
ostentaba feliz la pompa vana,
y con afeites de carmín y grana
bañaba alegre el rostro delicado;
    y dijo: Goza sin temor del hado   5
el curso breve de tu edad lozana,
pues no podrá la muerte de mañana
quitarte lo que hubieres hoy gozado.
    Y aunque llega la muerte presurosa
y tu fragante vida se te aleja,   10
no sientas el morir tan bella y moza:
    mira que la experiencia te aconseja
que es fortuna morirte siendo hermosa
y no ver el ultraje de ser vieja.

––––––––––

[72] (Cast., 7; MP, I, 278; SR, 96.)
Inspirado en el tema del «carpe diem» horaciano.

[73]

Soneto

Encarece de animosidad la elección de estado durable hasta la
muerte.

Si los riesgos del mar considerara,
ninguno se embarcara; si antes viera
bien su peligro, nadie se atreviera,
ni al bravo toro osado provocara;
    si del fogoso bruto ponderara   5
la furia desbocada en la carrera
el jinete prudente, nunca hubiera
quien con discreta mano le enfrenara.
    Pero si hubiera alguno tan osado
que, no obstante el peligro, al mismo Apolo   10
quisiere gobernar con atrevida
    mano el rápido carro en luz bañado,
todo lo hiciera; y no tomara sólo
estado que ha de ser toda la vida.

---

[73] (Cast., 166; MP, I, 279; SR, 247.)
10-12 Referencia a Faetón. Con el mismo sentido, la imagen aparecerá
en *El Sueño* (vv. 789-826).
13-14 Sorprendente afirmación si la tomamos desde la perspectiva auto-
biográfica. Incluso no deja de contradecir la «valentía» (*animosidad*) del título.
En definitiva, el poema es un alegato en defensa de la libertad intelectual
(fundamental, la imagen de los vv. 10-12).

[74]

SONETO

En que da moral censura a una rosa, y en ella a sus semejantes.

Rosa divina que en gentil cultura
eres, con tu fragante sutileza,
magisterio purpúreo en la belleza,
enseñanza nevada a la hermosura.
    Amago de la humana arquitectura,   5
ejemplo de la vana gentileza,
en cuyo ser unió naturaleza
la cuna alegre y triste sepultura.
    ¡Cuán altiva en tu pompa, presumida,
soberbia, el riesgo de morir desdeñas,   10
y luego desmayada y encogida
    de tu caduco ser das mustias señas,
con que con docta muerte y necia vida
viviendo engañas y muriendo enseñas!

---

[74] (II, 1692, 279; MP, I, 278.)

1 *cultura:* equivale a nuestro actual «cultivo».

3-4 *Purpúreo* y *nevada* con el valor simbólico de la «púrpura» que visten los reyes y personas importantes, y la «experiencia» de los ancianos, respectivamente.

[75]

Romance

*Acusa la hidropesía de mucha ciencia, que teme inútil aun para saber,
y nociva para vivir.*

Finjamos que soy feliz,
triste Pensamiento, un rato;
quizá podréis persuadirme,
aunque yo sé lo contrario:
que pues sólo en la aprehensión   5
dicen que estriban los daños,
si os imagináis dichoso,
no seréis tan desdichado.
Sírvame el entendimiento
alguna vez de descanso,   10
y no siempre esté el ingenio
con el provecho encontrado.
Todo el mundo es opiniones
de pareceres tan varios,
que lo que el uno que es negro,   15
el otro prueba que es blanco.
A unos sirve de atractivo
lo que otro concibe enfado,
y lo que éste por alivio,
aquél tiene por trabajo.   20
El que está triste censura
al alegre de liviano.
y el que está alegre se burla
de ver al triste penando.
Los dos filósofos griegos   25

[75]   (Cast., 47; MP, I, 5; SR, 133.)
Título: hidropesía: metafóricamente, «acumulación».
25   Heráclito de Éfeso y Demócrito de Abdera. Cfr. poema núm. 63,
vv. 95-96.

bien esta verdad probaron,
pues lo que en el uno risa,
causaba en el otro llanto.

Célebre su oposición
ha sido por siglos tantos,   30
sin que cuál acertó, esté
hasta agora averiguado;

antes en sus dos banderas
el mundo todo alistado,
conforme el humor le dicta   35
sigue cada cual el bando.

Uno dice que de risa
sólo es digno el mundo vario;
y otro que sus infortunios
son sólo para llorados.   40

Para todo se halla prueba
y razón en qué fundarlo,
y no hay razón para nada,
de haber razón para tanto.

Todos son iguales jueces,   45
y siendo iguales y varios,
no hay quien pueda decidir
cuál es lo más acertado.

Pues si no hay quien lo sentencie,
¿por qué pensáis, vos, errado,   50
que os cometió Dios a vos
la decisión de los casos?

¿O por qué, contra vos mismo,
severamente inhumano,
entre lo amargo y lo dulce,   55
queréis elegir lo amargo?

Si es mío mi entendimiento,
¿por qué siempre he de encontrarlo
tan torpe para el alivio,
tan agudo para el daño?   60

El discurso es un acero

---

51 *cometer:* encomendar.

que sirve por ambos cabos:
de dar muerte, por la punta,
por el pomo, de resguardo.

Si vos, sabiendo el peligro,   65
queréis por la punta usarlo,
¿qué culpa tiene el acero,
del mal uso de la mano?

No es saber, saber hacer
discursos sutiles, vanos;   70
que el saber consiste sólo
en elegir lo más sano.

Especular las desdichas
y examinar los presagios,
sólo sirve de que el mal   75
crezca con anticiparlo.

En los trabajos futuros,
la atención sutilizando,
más formidable que el riesgo,
suele fingir el amago.   80

¡Qué feliz es la ignorancia
del que, indoctamente sabio,
halla de lo que padece,
en lo que ignora, sagrado!

No siempre suben seguros,   85
vuelos del ingenio osados
que buscan trono en el fuego
y hallan sepulcro en el llanto.

También es vicio el saber,
que si no se va atajando,   90
cuanto menos se conoce,
es más nocivo el estrago,

y si el vuelo no le abaten
en sutilezas cebado,

73-80   Se refiere a la «astrología», perseguida por la Iglesia.
80   Quiere decir que si se pretende predecir el futuro, el propio intento
(*amago*) es ya engañoso.
81-84   Tópico sobre la felicidad del hombre rústico.
85-88   Una vez más, referencias a Ícaro y Faetón.

por cuidar de lo curioso,   95
olvida lo necesario.
    Si culta mano no impide
crecer al árbol copado,
quitan la substancia al fruto
la locura de los ramos.   100
    Si andar a nave ligera
no estorba lastre pesado,
sirve el vuelo de que sea
el precipicio más alto.
    En amenidad inútil,   105
¿qué importa al florido campo
si no halla fruto el otoño,
que ostente flores el mayo?
    ¿De qué le sirve al ingenio
el producir muchos partos,   110
si a la multitud se sigue
el malogro de abortarlos?
    Y a esta desdicha, por fuerza
ha de seguirse el fracaso
de quedar el que produce,   115
si no muerto, lastimado.
    El ingenio es como el fuego
que, con la materia ingrato,
tanto la consume más,
cuanto él se ostenta más claro.   120
    Es de su propio señor
tan rebelado vasallo,
que convierte en sus ofensas
las armas de su resguardo.
    Este pésimo ejercicio,   125
este duro afán pesado,
a los hijos de los hombres
dio Dios para ejercitarlos.
    ¿Qué loca ambición nos lleva

121-124 La ambición del ingenio se vuelve contra su propio dueño (versos siguientes).
125 *pésimo:* penoso.

de nosotros olvidados? 130
¿Si es para vivir tan poco,
de qué sirve saber tanto?
    ¡Oh, si como hay de saber,
hubiera algún seminario
o escuela donde a ignorar 135
se enseñaran los trabajos!
    ¡Qué felizmente viviera
el que flojamente cauto
burlara las amenazas
del influjo de los astros! 140
    Aprendamos a ignorar,
Pensamiento, pues hallamos
que cuanto añado al discurso
tanto le usurpo a los años.

[76]

SONETO

Engrandece el hecho de Lucrecia.

¡Oh famosa Lucrecia, gentil dama,
de cuyo ensangrentado noble pecho
salió la sangre que extinguió a despecho
del rey injusto, la lasciva llama!
    ¡Oh con cuanta razón el mundo aclama 5
tu virtud, pues por premio de tal hecho
aun es para tus sienes cerco estrecho
la amplísima corona de tu fama!
    Pero si el modo de tu fin violento
puedes borrar del tiempo y sus anales, 10

---

[76] (Cast., 8; MP, I, 281; SR, 97.)
    En éste, y en los tres sonetos siguientes, se ensalza la fidelidad conyugal. Se
corresponden con la temática «histórico-mitológica».
    1 y ss. *Lucrecia:* noble romana que se suicidó a causa de haber sido des-
honrada por el rey Tarquino el Soberbio (510. a.C.).

quita la punta del puñal sangriento
  con que pusiste fin a tantos males,
que es mengua de tu honrado sentimiento
decir que te ayudaste de puñales.

[77]

Soneto

Nueva alabanza del hecho mismo.

  Intenta de Tarquino el artificio
a tu pecho, Lucrecia, dar batalla;
ya amante llora, ya modesto calla,
ya ofrece toda el alma en sacrificio.
  Y cuando piensa ya que más propicio   5
tu pecho a tanto imperio se avasalla,
el premio, como Sísifo, que halla,
es empezar de nuevo el ejercicio.
  Arde furioso, y la amorosa tema
crece en la resistencia de tu honra,   10
con tanta privación, más obstinada.
  ¡Oh providencia de deidad suprema,
tu honestidad motiva tu deshonra,
y tu deshonra te eterniza honrada!

[77] (Cast., 8; MP, I, 281; SR, 98.)
9 *tema:* «obstinación» *(Dic. Aut.).*

[78]

Soneto

*Admira con el suceso que refiere los efectos imprevenibles de algunos
acuerdos.*

La heroica esposa de Pompeyo altiva,
al ver su vestidura en sangre roja,
con generosa cólera se enoja
de sospecharlo muerto y estar viva.
Rinde la vida en que el sosiego estriba   5
de esposo y padre, y con mortal congoja
la concebida sucesión arroja
y de la paz con ella a Roma priva.
Si el infeliz concepto que tenía
en las entrañas Julia no abortara,   10
la muerte de Pompeyo excusaría.
¡Oh tirana Fortuna, quién pensara
que con el mismo amor que la temía,
con ese mismo amor se la causara!

---

[78]   (Cast., 9; MP, I, 282; SR, 98.)

«La leyenda cuenta que Julia murió de aborto al creer a su marido muerto,
y atribuye el comienzo de las guerras y el fin trágico de su esposo al hecho de
dejar sin heredero a Pompeyo, aunque Plutarco dice que su muerte se debió a
un parto posterior» (SR, pág. 487).

13   *la temía:* la muerte de Pompeyo.

[79]

Soneto

*Contrapone el amor al fuego material, y quiere achacar remisiones a
éste con ocasión de contar el suceso de Porcia.*

¿Qué pasión, Porcia, qué dolor tan ciego
te obliga a ser de ti fiera homicida,
o en qué te ofende tu inocente vida,
que así le das batalla a sangre y fuego?
Si la Fortuna airada al justo ruego   5
de tu esposo se muestra endurecida,
bástale el mal de ver su acción perdida:
no acabes con tu vida su sosiego.
Deja las brasas, Porcia, que mortales
impaciente tu amor elegir quiere;   10
no al fuego de tu amor el fuego iguales;
porque si bien de tu pasión se infiere,
mal morirá a las brasas materiales
quien a las llamas del amor no muere.

---

[79] (Cast., 9; MP, I, 282; SR, 99.)

Porcia: «A la muerte de su marido Bruto, se negó a seguir viviendo y, ha-
biéndose sus amigos llevado, conocedores de su deseo de morir, todas las armas existentes en su casa, se dio muerte al tragar carbones encendidos (año
42 d.C.)» (SR, pág. 488).

El Sueño

[80]

Primero Sueño, que así intituló y compuso la Madre Juana Inés de la Cruz, imitando a Góngora.

I

Piramidal, funesta, de la tierra
nacida sombra, al cielo encaminaba
de vanos obeliscos punta altiva,
escalar pretendiendo las estrellas:
si bien sus luces bellas
—exentas siempre, siempre rutilantes—
la tenebrosa guerra
que con negros vapores le intimaba
la pavorosa sombra fugitiva
burlaban tan distantes,   10
que su atezado ceño

---

[80]   (II, 1692, 247; MP, I, 335.)

Sigo el texto fijado por MP. Su modernización de la puntuación es impecable y resulta imprescindible para la lectura del poema. No anoto las erratas de la ed. de 1692, pero sí las correcciones introducidas por MP. Sigo la división en partes y fragmentos de la edición de Sabat y Rivers (Noguer, 1976), ya que facilita la lectura de tan largo poema, carente de divisiones en sus ediciones antiguas.

1-4   Prosificación de MP: «Una sombra funesta (o fúnebre) y piramidal, encaminaba hacia el Cielo la altiva punta de sus vanos obeliscos *(vanos,* por ser de sombra y por fallar su intento), como si pretendiese subir hasta las Estrellas.»

6   *exentas:* libres (porque la noche no puede alcanzarlas).

11   el de las sombras nocturnas.

al superior convexo aun no llegaba
del orbe de la diosa
que tres veces hermosa
con tres hermosos rostros ser ostenta,
quedando sólo dueño
del aire que empañaba
con el aliento denso que exhalaba;
y en la quietud contenta
de imperio silencioso,   20
sumisas sólo voces consentía
de las nocturnas aves,
tan obscuras, tan graves,
que aun el silencio no se interrumpía. ¡frase de 24
                                                        versos!

Con tardo vuelo y canto, del oído
mal, y aun peor del ánimo admitido,
la avergonzada Nictimene acecha
de las sagradas puertas los resquicios,
o de las claraboyas eminentes
los huecos más propicios   30
que capaz a su intento le abren brecha,
y sacrílega llega a los lucientes
faroles sacros de perenne llama
que extingue, si no infama,
en licor claro la materia crasa
consumiendo, que el árbol de Minerva

12-13   Prosificación de MP: «ni siquiera llegaba al "convexo" (o sea, a la superficie exterior) de la Esfera de la Luna». SJ describe el Universo de acuerdo con la concepción tolomaica de las esferas celestes que rodean la tierra. Las esferas eran once y tenían el siguiente orden: Luna, Marte, Venus, Sol, Mercurio, Júpiter, Saturno, las estrellas fijas, el cielo cristalino, el Primer Motor y el Empíreo. Véase también la referencia a las esferas en los vv. 302-308. Cfr. Otis H. Green, *España y la tradición occidental,* t. I, Madrid, Gredos, págs. 42-60.

14-15   Las tres fases de la luna, representadas mitológicamente por la Luna, Diana y Proserpina.

27   *Nictimene:* la lechuza. La hija de Epopeo, rey de Lesbos, cometió incesto con su padre, por lo que fue transformada en lechuza.

36   *el árbol de Minerva:* el olivo. La lechuza apaga o bebe el aceite de las lámparas de los Templos.

de su fruto, de prensas agravado,
congojoso sudó y rindió forzado;
y aquellas que su casa
campo vieron volver, sus telas hierba,   40
a la deidad de Baco inobedientes
—ya no historias contando diferentes,
en forma sí afrentosa transformadas—,
segunda forman niebla,
ser vistas aun temiendo en la tiniebla,
aves sin pluma aladas:
aquellas tres oficiosas, digo,
atrevidas hermanas,
que el tremendo castigo
de desnudas les dio pardas membranas   50
alas tan mal dispuestas
que escarnio son aun de las más funestas:
éstas, con el parlero
ministro de Plutón un tiempo, ahora
supersticioso indicio al agorero,
solos la no canora
componían capilla pavorosa,
máximas, negras, longas entonando,
y pausas más que voces, esperando
a la torpe mensura perezosa   60
de mayor proporción tal vez, que el viento
con flemático echaba movimiento,
de tan tardo compás, tan detenido,

39-52   Se refiere SJ a los murciélagos. En Tebas, las tres hijas de Minias,
no creyendo en la divinidad de Baco, descuidaban su culto y ocupaban su
tiempo tejiendo (*oficiosas*) y contándose historias mitológicas, por lo que el
dios las castigó destruyendo su casa, transformando sus telas en hiedras y
convirtiéndolas a ellas en murciélagos.

53-55   *el parlero ministro de Plutón:* el búho. Ascálafo, espía de Plutón, dela-
tó que Proserpina había comido los granos de la granada en el Infierno (por
lo que no pudo salir de aquel lugar) y la diosa lo convirtió en búho, pájaro
que era considerado de mal agüero (v. 55).

56-64   Estas aves de la noche formaban un coro (*capilla*) que entonaba
una música tan lenta y pausada (*máximas, negras* y *longas* son notas musicales)
que el propio viento que las dirigía —con el perezoso ritmo (*mensura*) de
«proporción mayor»— llegaba a dormirse.

que en medio se quedó tal vez dormido.
　　Este, pues, triste son intercadente
de la asombrada turba temerosa,
menos a la atención solicitaba
que al sueño persuadía;
antes sí, lentamente,
su obtusa consonancia espaciosa　　　　　　　70
al sosiego inducía
y al reposo los miembros convidaba
—el silencio intimando a los vivientes,
uno y otro sellando labio obscuro
con indicante dedo,
Harpócrates, la noche, silencioso;
a cuyo, aunque no duro,
si bien imperioso
precepto, todos fueron obedientes—.
El viento sosegado, el can dormido,　　　　　80
éste yace, aquél quedo
los átomos no mueve,
con el susurro hacer temiendo leve,
aunque poco, sacrílego ruido,
violador del silencio sosegado.
El mar, no ya alterado,
ni aun la instable mecía
cerúlea cuna donde el sol dormía;
y los dormidos, siempre mudos peces,
en los lechos lamosos　　　　　　　　　　　90
de sus obscuros senos cavernosos,
mudos eran dos veces;
y entre ellos, la engañosa encantadora
Alcione, a los que antes

65　*intercadente:* roto por las pausas.

73-79　*Harpócrates:* dios egipcio del silencio, representado con un dedo sobre los labios, en la forma habitual de quien pide silencio.

86-88　Ni siquiera el mar movía sus azules olas *(cerúlea cuna).*

92　*mudos eran dos veces:* por su propia naturaleza y por estar dormidos.

93-96　Alcione, la hija de Eolo, fue metamorfoseada en el martín pescador, de manera que los amantes que ella había atrapado en sus redes de amor (metafóricamente, *peces*) quedaban vengados.

en peces transformó, simples amantes,
transformada también, vengaba ahora.

En los del monte senos escondidos,
cóncavos de peñascos mal formados
—de su aspereza menos defendidos
que de su obscuridad asegurados—,   100
cuya mansión sombría
ser puede noche en la mitad del día,
incógnita aún al cierto
montaraz pie del cazador experto
—depuesta la fiereza
de unos, y de otros el temor depuesto—
yacía el vulgo bruto,
a la naturaleza
el de su potestad pagando impuesto,
universal tributo;   110
y el rey, que vigilancias afectaba,
aun con abiertos ojos no velaba.
El de sus mismos perros acosado,
monarca en otro tiempo esclarecido,
tímido ya venado,
con vigilante oído,
del sosegado ambiente
al menor perceptible movimiento
que los átomos muda,
la oreja alterna aguda   120
y el leve rumor siente
que aun lo altera dormido.
Y en la quietud del nido,
que de brozas y lodo instable hamaca
formó en la más opaca
parte del árbol, duerme recogida

_____

107 *el vulgo bruto:* todos los animales (que dormían).
111 Al león, rey de los animales, se le atribuía que dormía sin cerrar los
párpados, por lo que parecía despierto (*vigilancias afectaba*).
113-122 Acteón vio bañándose a Diana y a sus ninfas. La diosa lo castigó convirtiéndolo en ciervo, y fue muerto por los perros de caza que le acompañaban.

la leve turba, descansando el viento
del que le corta, alado movimiento.

De Júpiter el ave generosa
—como al fin reina—, por no darse entera   130
al descanso, que vicio considera
si de preciso pasa, cuidadosa
de no incurrir de omisa en el exceso,
a un solo pie librada fía el peso,
y en otro guarda el cálculo pequeño
—despertador reloj del leve sueño—,
porque, si necesario fue admitido,
no pueda dilatarse continuado,
antes interrumpido
del regio sea pastoral cuidado.   140
¡Oh de la majestad pensión gravosa,
que aun el menor descuido no perdona!
Causa, quizá, que ha hecho misteriosa,
circular, denotando, la corona,
en círculo dorado,
que el afán es no menos continuado.
El sueño todo, en fin, lo poseía;
todo, en fin, el silencio lo ocupaba:
aun el ladrón dormía;
aun el amante no se desvelaba.   150

II

El conticinio casi ya pasando
iba, y la sombra dimidiaba, cuando

127-128   La muchedumbre de los pájaros (*leve turba*) descansa, lo mismo
que el viento, una vez que las alas de los pájaros no lo cortan.

129-140   El águila sostiene en una de sus garras una piedrecita (*cálculo*)
porque si se duerme, la piedra, al caer, la despertará. SJ atribuye al águila esta
cualidad fantástica que, sin embargo, en toda la tradición escrita se asigna a
la grulla (ejemplos en Plinio y en los bestiarios medievales).

143-146   El círculo de la corona simboliza que los afanes del buen gober-
nante deben ser constantes.

151   *conticinio:* «hora de la noche en que todo está en silencio»
(DRAE).

de las diurnas tareas fatigados
—y no sólo oprimidos
del afán ponderoso
del corporal trabajo, más cansados
del deleite también (que también cansa
objeto continuado a los sentidos
aun siendo deleitoso:
que la naturaleza siempre alterna   160
ya una, ya otra balanza,
distribuyendo varios ejercicios,
ya al ocio, ya al trabajo destinados,
en el fiel infiel con que gobierna
la aparatosa máquina del mundo)—;
así, pues, de profundo
sueño dulce los miembros ocupados,
quedaron los sentidos
del que ejercicio tienen ordinario
—trabajo, en fin, pero trabajo amado,   170
si hay amable trabajo—,
si privados no, al menos suspendidos,
y cediendo al retrato del contrario
de la vida, que —lentamente armado—
cobarde embiste y vence perezoso
con armas soñolientas,
desde el cayado humilde al cetro altivo,
sin que haya distintivo
que el sayal de la púrpura discierna:
pues su nivel, en todo poderoso,   180
gradúa por exentas
a ningunas personas,
desde la de a quien tres forman coronas
soberana tiara,
hasta la que pajiza vive choza;
desde la que el Danubio undoso dora,
a la que junco humilde, humilde mora;

173-174   El *contrario de la vida* es la muerte, y su *retrato*, por su parecido, el
sueño.
183-184   El Papa.

y con siempre igual vara
(como, en efecto, imagen poderosa
de la muerte) Morfeo   190
el sayal mide igual con el brocado.
El alma, pues, suspensa
del exterior gobierno —en que ocupada
en material empleo,
o bien o mal da el día por gastado—,
solamente dispensa
remota, si del todo separada
no, a los de muerte temporal opresos
lánguidos miembros, sosegados huesos,
los gajes del calor vegetativo,   200
el cuerpo siendo, en sosegada calma,
un cadáver con alma,
muerto a la vida y a la muerte vivo,
de lo segundo dando tardas señas
el del reloj humano
vital volante que, si no con mano,
con arterial concierto, unas pequeñas
muestras, pulsando, manifiesta lento
de su bien regulado movimiento.
    Éste, pues, miembro rey y centro vivo   210
de espíritus vitales,
con su asociado respirante fuelle
—pulmón, que imán del viento es atractivo,
que en movimientos nunca desiguales
o comprimiendo ya, o ya dilatando

196-200   El alma, alejada del cuerpo, sólo le proporciona los bienes (*ga-jes:* «salario», *Dic. Aut.*) necesarios para mantener la vida vegetativa.

203   El cuerpo dormido parece muerto si lo comparamos con la vida, pero vivo si se compara con la muerte.

206   El corazón es como las ruedas dentadas (*volante*) de un reloj que muestran su actividad en el pulso arterial, en vez de hacerlo a través de las manecillas («si no con *mano*») del reloj.

211   *espíritus vitales:* «la facultad, el vigor natural y virtud que vivifica el cuerpo (...). Los *espíritus* y calor natural mantienen derecho el cuerpo humano» (*Dic. Aut.*).

el musculoso, claro arcaduz blando,
hace que en él resuelle
el que lo circunscribe fresco ambiente
que impele ya caliente,
y él venga su expulsión haciendo activo   220
pequeños robos al calor nativo,
algún tiempo llorados,
nunca recuperados,
si ahora no sentidos de su dueño,
que, repetido, no hay robo pequeño—;
éstos, pues, de mayor, como ya digo,
excepción, uno y otro fiel testigo,
la vida aseguraban,
mientras con mudas voces impugnaban
la información, callados, los sentidos   230
—con no replicar sólo defendidos—,
y la lengua que, torpe, enmudecía,
con no poder hablar los desmentía.

Y aquella del calor más competente
científica oficina,
próvida de los miembros despensera,
que avara nunca y siempre diligente,
ni a la parte prefiere más vecina
ni olvida a la remota,
y en ajustado natural cuadrante   240
las cuantidades nota
que a cada cual tocarle considera,
del que alambicó quilo el incesante

---

216   *arcaduz:* caño por donde se conduce el agua. Imagen de la garganta
(*musculoso, blando*).
217-225   En la respiración, el aire se venga de ser expulsado robando
en cada expiración un poco de calor humano o, lo que es lo mismo, de
la vida.
226   Es decir, el corazón y los pulmones.
235   *Var.: centrífica* (ed. de Sevilla, 1692). Se refiere al estómago.
234-244   El estómago, con su calor, convierte el alimento (*manjar,* v.
244) en una sustancia (*quilo,* v. 243, líquido que se mezclará con la sangre)
que distribuye por todo el cuerpo (vv. 236-242).

calor, en el manjar que —medianero
piadoso— entre él y el húmedo interpuso
su inocente substancia,
pagando por entero
la que, ya piedad sea, o ya arrogancia,
al contrario voraz, necio la expuso
—merecido castigo, aunque se excuse,   250
al que en pendencia ajena se introduce—;
ésta, pues, si no fragua de Vulcano,
templada hoguera del calor humano,
al cerebro enviaba
húmedos, mas tan claros los vapores
de los atemperados cuatro humores,
que con ellos no sólo no empañaba
los simulacros que la estimativa
dio a la imaginativa
y aquésta, por custodia más segura,   260
en forma ya más pura

245-251   Según la fisiología antigua, la vida biológica depende del *calor
natural del cuerpo* que va consumiendo el *húmedo radical* (el humor balsámico
que da flexibilidad a las fibras del cuerpo). Los alimentos compensan la pérdida del húmedo radical pero no de manera perfecta, razón por la que el
cuerpo envejece (resumiendo a MP).

De ahí que los alimentos actúen de *medianeros* entre el calor y el húmedo radical, pagando por ello (al quedar convertidos en *quilo*), lo mismo que quien
se mete en pendencia ajena.

249   *Var.: necio la expuso* (eds. antiguas).

252   El estómago.

256   los *cuatro humores:* el cuerpo humano se nutría de cuatro líquidos o
humores: flema, bilis negra, bilis amarilla y sangre. Relacionados con los
cuadrantes del zodiaco proporcionaban los cuatro temperamentos de las personas: flemáticos (Luna, flema), coléricos (Marte, bilis amarilla), sanguíneos
(Júpiter, sangre) de temperamento alegre; y melancólicos (Saturno, bilis
negra).

258   *la estimativa:* «Parece tomarse aquí *la estimativa* por el "sentido común", o sea, la central interior de los sentidos exteriores» (MP).

259   *la imaginativa:* «la potencia o facultad de imaginar, y algunas veces lo
mismo que Imaginación» (*Dic. Aut.*). Imaginación: «Potencia con que el
alma representa en la fantasía algún objeto» (*Dic. Aut.*).

260-266   Los vapores húmedos (v. 255) que el estómago envía al cerebro; mientras el cuerpo duerme, son tan ligeros que facilitan la fantasía
(vv. 264-266).

entregó a la memoria que, oficiosa,
grabó tenaz y guarda cuidadosa,
sino que daban a la fantasía
lugar de que formase
imágenes diversas; y del modo
que en tersa superficie, que de faro
cristalino portento, asilo raro
fue, en distancia longísima se vían
(sin que ésta le estorbase)   270
del reino casi de Neptuno todo
las que distantes lo surcaban naves
—viéndose claramente
en su azogada luna
el número, el tamaño y la fortuna
que en la instable campaña transparente
arresgadas tenían,
mientras aguas y vientos dividían
sus velas leves y sus quillas graves—:
así ella, sosegada, iba copiando   280
las imágenes todas de las cosas,
y el pincel invisible iba formando
de mentales, sin luz, siempre vistosas
colores, las figuras
no sólo ya de todas las criaturas
sublunares, mas aun también de aquellas
que intelectuales claras son estrellas,
y en el modo posible
que concebirse puede lo invisible,
en sí, mañosa, las representaba   290
y al alma las mostraba.

La cual, en tanto, toda convertida
a su inmaterial ser y esencia bella,
aquélla contemplaba,

267   *Faro:* el Faro de Alejandría, una de las «Siete Maravillas del mundo»,
cuyo espejo permitía ver a una gran distancia, según la leyenda.
280   La fantasía (v. 264), al igual que el espejo del Faro (vv. 267-279) podía percibir todas las cosas.
287   Las ideas o conceptos.

participada de alto ser, centella
que con similitud en sí gozaba;
y juzgándose casi dividida
de aquella que impedida
siempre la tiene, corporal cadena,
que grosera embaraza y torpe impide   300
el vuelo intelectual con que ya mide
la cuantidad inmensa de la esfera,
ya el curso considera
regular, con que giran desiguales
los cuerpos celestiales
—culpa si grave, merecida pena
(torcedor del sosiego, riguroso)
de estudio vanamente judicioso—,
puesta, a su parecer, en la eminente
cumbre de un monte a quien el mismo Atlante   310
que preside gigante
a los demás, enano obedecía,
y Olimpo, cuya sosegada frente,
nunca de aura agitada
consintió ser violada,
aun falda suya ser no merecía:
pues las nubes —que opaca son corona
de la más elevada corpulencia,
del volcán más soberbio que en la tierra
gigante erguido intima al cielo guerra—,   320
apenas densa zona
de su altiva eminencia,
o a su vasta cintura
cíngulo tosco son, que —mal ceñido—
o el viento lo desata sacudido
o vecino el calor del sol lo apura.

---

295   El alma participa de Dios ya que fue creada a su semejanza.

306-308   *estudio judicioso:* la «astrología judiciaria» trataba de predecir el
futuro (horóscopos). Prohibida por la Iglesia, quien se dedicase a su estudio
(*grave cu,pa*) tendría como castigo el desasosiego (v. 207).

309-339   El alma se imagina en la cumbre de una montaña mucho más
alta que el monte Atlas, el Olimpo, o los volcanes. Ni siquiera el águila puede alcanzar la tercera parte de su altura (vv. 327-339).

A la región primera de su altura
(ínfima parte, digo, dividiendo
en tres su continuado cuerpo horrendo),
el rápido no pudo, el veloz vuelo   330
del águila —que puntas hace al cielo
y al sol bebe los rayos pretendiendo
entre sus luces colocar su nido—
llegar; bien que esforzando
más que nunca el impulso, ya batiendo
las dos plumadas velas, ya peinando
con las garras el aire, ha pretendido,
tejiendo de los átomos escalas,
que su inmunidad rompan sus dos alas.

Las Pirámides dos —ostentaciones   340
de Menfis vano, y de la arquitectura
último esmero, si ya no pendones
fijos, no tremolantes—, cuya altura
coronada de bárbaros trofeos
tumba y bandera fue a los Ptolomeos,
que al viento, que a las nubes publicaba
(si ya también al cielo no decía)
de su grande, su siempre vencedora
ciudad —ya Cairo ahora—
las que, porque a su copia enmudecía,   350
la Fama no cantaba
gitanas glorias, ménficas proezas,
aun en el viento, aun en el cielo impresas:
éstas —que en nivelada simetría
su estatura crecía
con tal diminución, con arte tanto,
que (cuanto más al cielo caminaba)

340-411   También las famosas pirámides de Egipto son nada si se las
compara con la montaña que ha imaginado el alma (vv. 423-428). Larguísi-
ma digresión.
340   Las pirámides de Gizé son tres, pero prescinde de una de ellas por
ser de mucha menos altura que las otras dos.
352   *Gitanas glorias:* de Egipto.

a la vista, que lince la miraba,
entre los vientos se desparecía,
sin permitir mirar la sutil punta   360
que al primer orbe finge que se junta,
hasta que fatigada del espanto,
no descendida, sino despeñada
se hallaba al pie de la espaciosa basa,
tarde o mal recobrada
del desvanecimiento
que pena fue no escasa
del visual alado atrevimiento—,
cuyos cuerpos opacos
no al sol opuestos, antes avenidos   370
con sus luces, si no confederados
con él (como, en efecto, confinantes),
tan del todo bañados
de su resplandor eran, que —lucidos—
nunca de calorosos caminantes
al fatigado aliento, a los pies flacos,
ofrecieron alfombra
aun de pequeña, aun de señal de sombra
éstas, que gloria ya sean gitanas,
o elaciones profanas,   380
bárbaros jeroglíficos de ciego
error, según el griego
ciego también, dulcísimo poeta
—si ya, por las que escribe
aquileyas proezas
o marciales de Ulises sutilezas,
la unión no lo recibe
de los historiadores, o lo acepta
(cuando entre su catálogo lo cuente)
que gloria más que número le aumente—,   390

---

361   *primer orbe:* la esfera celeste de la Luna.
378   Según la leyenda, estas pirámides no proyectaban sombra.
380   *elaciones:* elevaciones y, también, presunciones.
382   *el Griego:* Homero. MP señala que Homero no habló de las pirámides.

de cuya dulce serie numerosa
fuera más fácil cosa
al temido tonante
el rayo fulminante
quitar, o la pesada
a Alcides clava herrada,
que un hemistiquio solo
de los que le dictó propicio Apolo;
según de Homero, digo, la sentencia,
las Pirámides fueron materiales   400
tipos solos, señales exteriores
de las que, dimensiones interiores,
especies son del alma intencionales:
que como sube en piramidal punta
al cielo la ambiciosa llama ardiente,
así la humana mente
su figura trasunta,
y a la causa primera siempre aspira
—céntrico punto donde recta tira
la línea, si ya no circunferencia,   410
que contiene, infinita, toda esencia—.

Estos, pues, montes dos artificiales
(bien maravillas, bien milagros sean),
y aun aquella blasfema altiva torre
de quien hoy dolorosas son señales
—no en piedras, sino en lenguas desiguales,
porque voraz el tiempo no las borre—
los idiomas diversos que escasean
el sociable trato de las gentes
(haciendo que parezcan diferentes   420
los que unos hizo la naturaleza,
de la lengua por sólo la extrañeza),

400-401   (según Homero) las Pirámides fueron sólo símbolos materiales...
409-411   SJ, en la *Respuesta:* «Todas las cosas salen de Dios, que es el Centro a un tiempo y la Circunferencia, de donde salen y donde paran todas las
líneas creadas» (Citado por MP).
414   La torre de Babel.

si fueran comparados
a la mental pirámide elevada
donde —sin saber cómo— colocada
el alma se miró, tan atrasados
se hallaran, que cualquiera
graduara su cima por esfera:
pues su ambicioso anhelo,
haciendo cumbre de su propio vuelo,   430
en la más eminente
la encumbró parte de su propia mente,
de sí tan remontada, que creía
que a otra nueva región de sí salía;
en cuya casi elevación inmensa,
gozosa mas suspensa,
suspensa pero ufana,
y atónita aunque ufana, la suprema
de lo sublunar reina soberana,
la vista perspicaz, libre de anteojos,   440
de sus intelectuales bellos ojos
(sin que dictancia tema
ni de obstáculo opaco se recele,
de que interpuesto algún objeto cele),
libre tendió por todo lo criado:
cuyo inmenso agregado,
cúmulo incomprehensible,
aunque a la vista quiso manifiesto
dar señas de posible,
a la comprehensión no, que —entorpecida   450
con la sobra de objetos, y excedida
de la grandeza de ellos su potencia—
retrocedió cobarde.
Tanto no, del osado presupuesto,
revocó la intención, arrepentida,
la vista que intentó descomedida
en vano hacer alarde
contra objeto que excede en excelencia

---

439   El alma (reina).
440   Var.: «antojas» (eds. antiguas).

las líneas visuales
—contra el sol, digo, cuerpo luminoso,   460
cuyos rayos castigo son fogoso,
que fuerzas desiguales
despreciando, castigan rayo a rayo
el confiado, antes atrevido
y ya llorado ensayo
(necia experiencia que costosa tanto
fue, que Ícaro ya, su propio llanto
lo anegó enternecido)—,
como el entendimiento, aquí vencido
no menos de la inmensa muchedumbre   470
de tanta maquinosa pesadumbre
(de diversas especies conglobado
esférico compuesto),
que de las cualidades
de cada cual, cedió: tan asombrado,
que —entre la copia puesto,
pobre con ella en las neutralidades
de un mar de asombros, la elección confusa—,
equívoco las ondas zozobraba;
y por mirarlo todo, nada vía,   480
ni discernir podía
(bota la facultad intelectiva
en tanta, tan difusa
incomprehensible especie que miraba
desde el un eje en que librada estriba
la máquina voluble de la esfera,
al contrapuesto polo)
las partes, ya no sólo,
que al universo todo considera
serle perfeccionantes,   490
a su ornato, no más, pertenecientes;
mas ni aun las que integrantes

467-468   Imagen del mar, donde se ahogó.
475   Lo mismo que la vista no puede soportar los rayos del Sol (vv. 454-
459), el entendimiento (v. 469) abandonó *(cedió,* v. 475) su intento de comprender el Universo.

miembros son de su cuerpo dilatado,
proporcionadamente competentes.

   Mas como al que ha usurpado
diuturna obscuridad, de los objetos
visibles los colores,
si súbitos le asaltan resplandores,
con la sobra de luz queda más ciego
—que el exceso contrarios hace efectos   500
en la torpe potencia, que la lumbre
del sol admitir luego
no puede por la falta de costumbre—,
y a la tiniebla misma, que antes era
tenebroso a la vista impedimento,
de los agravios de la luz apela,
y una vez y otra con la mano cela
de los débiles ojos deslumbrados
los rayos vacilantes,
sirviendo ya —piadosa medianera—   510
la sombra de instrumento
para que recobrados
por grados se habiliten,
porque después constantes
su operación más firmes ejerciten
—recurso natural, innata ciencia
que confirmada ya de la experiencia,
maestro quizá mudo,
retórico ejemplar, inducir pudo
a uno y otro galeno   520
para que del mortífero veneno
en bien proporcionadas cantidades
escrupulosamente regulando
las ocultas nocivas cualidades,
ya por sobrado exceso
de cálidas o frías,
o ya por ignoradas simpatías

---

496   *diuturna:* que dura o subsiste mucho tiempo.

o antipatías con que van obrando
las causas naturales su progreso
(a la admiración dando, suspendida,   530
efecto cierto en causa no sabida,
con prolijo desvelo y remirada
empírica atención, examinada
en la bruta experiencia,
por menos peligrosa),
la confección hicieran provechosa,
último afán de la apolínea ciencia,
de admirable triaca,
¡que así del mal el bien tal vez se saca!—:
no de otra suerte el alma, que asombrada   540
de la vista quedó de objeto tanto,
la atención recogió, que derramada
en diversidad tanta, aun no sabía
recobrarse a sí misma del espanto
que portentoso había
su discurso calmado,
permitiéndole apenas
de un concepto confuso
el informe embrión que, mal formado,
inordinado caos retrataba   550
de confusas especies que abrazaba
—sin orden avenidas,
sin orden separadas,
que cuanto más se implican combinadas
tanto más se disuelven desunidas,
de diversidad llenas—,
ciñendo con violencia lo difuso
de objeto tanto, a tan pequeño vaso
(aun al más bajo, aun al menor, escaso).

---

534   *bruta experiencia:* experimentando en los animales.
537   *Apolínea ciencia:* Apolo, dios de la medicina.
538   *triaca:* antídoto del veneno.
544-546   ... del portentoso estupor *(espanto)* que había paralizado *(calmado)* su discurso.
558-559   El entendimiento es un pequeño vaso, incapaz no sólo de entender los misterios del universo, sino la realidad más pequeña.

Las velas, en efecto, recogidas,   560
que fió inadvertidas
traidor al mar, al viento ventilante
—buscando, desatento,
al mar fidelidad, constancia al viento—,
mal le hizo de su grado
en la mental orilla
dar fondo, destrozado,
al timón roto, a la quebrada entena,
besando arena a arena
de la playa el bajel, astilla a astilla   570
donde —ya recobrado—
el lugar usurpó de la carena
cuerda refleja, reportado aviso
de dictamen remiso:
que, en su operación misma reportado,
más juzgó conveniente
a singular asunto reducirse,
o separadamente
una por una discurrir las cosas
que vienen a ceñirse   580
en las que artificiosas
dos veces cinco son categorías:
reducción metafísica que enseña
(los entes concibiendo generales
en sólo unas mentales fantasías
donde de la materia se desdeña
el discurso abstraído)
ciencia a formar de los universales,
reparando, advertido,
con el arte el defecto   590
de no poder con un intuitivo
conocer acto todo lo criado,
sino que, haciendo escala, de un concepto

572-574 Lo mismo que un barco necesita reparación *(carena),* el entendimiento se recuperó mediante la cuerda reflexión *(refleja),* moderada *(repor-*
tado) advertencia de un dictamen detenido *(remiso).*
582 Las Diez Categorías aristotélicas.

en otro va ascendiendo grado a grado,
y el de comprender orden relativo
sigue, necesitado
del entendimiento
limitado vigor, que a sucesivo
discurso fía su aprovechamiento:
cuyas débiles fuerzas, la doctrina   600
con doctos alimentos va esforzando,
y el prolijo, si blando,
continuo curso de la disciplina,
robustos le va alientos infundiendo,
con que más animoso
al palio glorioso
del empeño más arduo, altivo aspira,
los altos escalones ascendiendo
—en una ya, ya en otra cultivado
facultad—, hasta que insensiblemente   610
la honrosa cumbre mira
término dulce de su afán pesado
(de amarga siembra, fruto al gusto grato,
que aun a largas fatigas fue barato),
y con planta valiente
la cima huella de su altiva frente.

De esta serie seguir mi entendimiento
el método quería,
o del ínfimo grado
del ser inanimado   620
(menos favorecido,
si no más desvalido,
de la segunda causa productiva),
pasar a la más noble jerarquía
que, en vegetable aliento,
primogénito es, aunque grosero,
de Thetis —el primero

---

623   La Naturaleza (Dios es la «primera»).
  627 y ss.   *Var.:* eds. antiguas, *Themis.* MP lo considera una errata. *Thetis,*
esposa de Océano, es figura mitológica asociada a la maternidad (Thetis sig-

que a sus fértiles pechos maternales,
con virtud atractiva,
los dulces apoyó manantiales   630
de humor terrestre, que a su nutrimento
natural es dulcísimo alimento—,
y de cuatro adornada operaciones
de contrarias acciones,
ya atrae, ya segrega diligente
lo que no serle juzga conveniente,
ya lo superfluo expele, y de la copia
la substancia más útil hace propia;
   y —ésta ya investigada—
forma inculcar más bella,   640
de sentido adornada
(y aún más que de sentido, de aprehensiva
fuerza imaginativa),
que justa puede ocasionar querella
—cuando afrenta no sea—
de la que más lucida centellea
inanimada estrella,
bien que soberbios brille resplandores
—que hasta a los astros puede superiores,
aun la menor criatura, aun la más baja,   650
ocasionar envidia, hacer ventaja—;
y de este corporal conocimiento
haciendo, bien que escaso, fundamento,
al supremo pasar maravilloso
compuesto triplicado,

nifica «nodriza»). Es madre de los ríos y las fuentes. El Reino Vegetal, *más no-*
ble jerarquía (v. 624) que el Reino Mineral (versos anteriores), es el primero
que se nutre del agua (*humor terrestre,* v. 631), tal como se simboliza en Thetis
(vv. 627-632).
   633   *adornada* se refiere a *jerarquía* (v. 624), lo mismo que *ésta* (v. 639).
   640   *inculcar:* en el sentido latino de pisar (MP). Investigados los vegetales, el entendimiento analiza el Reino Animal: la posesión de los sentidos y
de la imaginación hace superior al animal más inferior frente al astro más
importante (vv. 640-651).
   654   «Mi entendimiento quería pasar al...» No hay que olvidar que la ora-
ción principal está situada en los vv. 617-18.
   655   *compuesto triplicado:* el hombre, ya que tiene vida vegetativa, sensitiva
y racional.

de tres acordes líneas ordenado
y de las formas todas inferiores
compendio misterioso:
bisagra engazadora
de la que más se eleva entronizada   660
naturaleza pura
y de la que, criatura
menos noble, se ve más abatida:
no de las cinco solas adornada
sensibles facultades,
mas de las interiores
que tres rectrices son, ennoblecida
—que para ser señora
de las demás, no en vano
la adornó sabia poderosa mano—:   670
fin de sus obras, círculo que cierra
la esfera con la tierra,
última perfección de lo criado
y último de su Eterno Autor agrado,
en quien con satisfecha complacencia
su inmensa descansó magnificencia:
fábrica portentosa
que, cuanto más altiva al cielo toca,
sella el polvo la boca
—de quien ser pudo imagen misteriosa   680
la que águila evangélica, sagrada
visión en Patmos vio, que las estrellas
midió y el suelo con iguales huellas,
o la estatua eminente
que del metal mostraba más preciado
la rica altiva frente,

---

667   El entendimiento, la voluntad y la memoria.
679   La muerte le recuerda que está hecha de tierra.
681-682   *Águila Evangélica:* San Juan. En el *Apocalipsis* relata una visión sobre el «Ángel fuerte que bajaba del cielo..., y que ponía el pie derecho sobre el
mar y el izquierdo sobre la tierra». MP considera algo violenta esta alegoría
del hombre, pero no encuentra tampoco otro texto al que puedan aludir los
versos de SJ.
684-689   La estatua con pies de barro, soñada por Nabucodonosor.

y en el más desechado
material, flaco fundamento hacía,
con que a leve vaivén se deshacía—:
el hombre, digo, en fin, mayor portento   690
que discurre el humano entendimiento;
compendio que absoluto
parece al ángel, a la planta, al bruto;
cuya altiva bajeza
toda participó naturaleza.
¿Por qué? Quizá porque más venturosa
que todas, encumbrada
a merced de amorosa
unión sería. ¡Oh, aunque repetida,
nunca bastantemente bien sabida   700
merced, pues ignorada
en lo poco apreciada
parece, o en lo mal correspondida!

Estos, pues, grados discurrir quería
unas veces, pero otras disentía,
excesivo juzgando atrevimiento
el discurrirlo todo,
quien aun la más pequeña,
aun la más fácil parte no entendía
de los más manuales   710
efectos naturales;
quien de la fuente no alcanzó risueña

---

697   que todas las demás criaturas.
699   Se refiere a la unión hipostática (la Encarnación) de la naturaleza
divina y la hermana en Cristo.
701-703   Parece ignorada a juzgar por lo poco apreciada que es, o lo mal
que le correspondemos.
704   Mi entendimiento. (Igual que en el v. 617.)
710   de los más a mano (cotidianos).
712-729   La fuente risueña es, además, Aretusa, a juzgar por los versos siguientes: Aretusa, perseguida por el río Alfeo, pidió socorro a Diana, quien
la transformó en fuente, y, penetrando en los reinos subterráneos, descubrió
(v. 722) a Proserpina (*triforme* por ser hija de Júpiter y Ceres y, raptada y hecha esposa por Plutón, es reina medio año en los Infiernos, y otro medio en
la Tierra, como diosa de la agricultura; v. 721) y se lo comunicó a su madre
(v. 725) que la buscaba desesperada (vv. 726-729).

el ignorado modo
con que el curso dirige cristalino
deteniendo en ambages su camino
—los horrorosos senos
de Plutón, las cavernas pavorosas
del abismo tremendo,
las campañas hermosas,
los Elíseos amenos,   720
tálamo ya de su triforme esposa,
clara pesquisidora registrando
(útil curiosidad, aunque prolija,
que de su no cobrada bella hija
noticia cierta dio a la rubia diosa,
cuando montes y selvas trastornando,
cuando prados y bosques inquiriendo,
su vida iba buscando
y del dolor su vida iba perdiendo)—;
quien de la breve flor aun no sabía   730
por qué ebúrnea figura
circunscribe su frágil hermosura:
mixtos, por qué, colores
—confundiendo la grana en los albores—
fragante le son gala:
ámbares por qué exhala,
y el leve, si más bello
ropaje al viento explica,
que en una y otra fresca multiplica
hija, formando pompa escarolada   740
de dorados perfiles cairelada,
que —roto del capillo el blanco sello—
de dulce herida de la cipria diosa
los despojos ostenta jactanciosa,

---

730   *quien:* mi entendimiento (al igual que en los versos 708 y 710).
731   *ebúrnea:* de marfil. Probablemente se refiere a la azucena.
734   Mezclando el rojo y el blanco: la rosa.
740   *escarolada:* rizada, como la escarola.
741   *cairelada:* bordada.
743   de la sangre de Venus.

si ya el que la colora,
candor al alba, púrpura al aurora
no le usurpó y, mezclado,
purpúreo es ampo, rosicler nevado:
tornasol que concita
los que del prado aplausos solicita: 750
preceptor quizá vano
—si no ejemplo profano—
de industria femenil que el más activo
veneno, hace dos veces ser nocivo
en el velo aparente
de la que finge tez resplandeciente.
Pues si a un objeto solo —repetía
tímido el pensamiento—
huye el conocimiento
y cobarde el discurso se desvía;   760
si a especie segregada
—como de las demás independiente,
como sin relación considerada—
da las espaldas el entendimiento,
y asombrado el discurso se espeluzna
del difícil certamen que rehúsa
acometer valiente,
porque teme —cobarde—
comprehenderlo o mal, o nunca, o tarde,
¿cómo en tan espantosa   770
máquina inmensa discurrir pudiera,
cuyo terrible incomportable peso
—si ya en su centro mismo no estribara—
de Atlante a las espaldas agobiara,
de Alcides a las fuerzas excediera;

745-747   a no ser que le robase el color a...

748   *ampo:* copo de nieve.

751   *vano:* vanidoso.

753   Se refiere a la cosmética.

754   El veneno con que se hacían los afeites. MP cita dos: el solimán, de azogue, y el albayalde, de plomo.

765   *espeluznar:* erizarse el cabello a causa del miedo.

771   El universo. Lo mismo que en los vv. 470 y 486.

y el que fue de la esfera
bastante contrapeso,
pesada menos, menos ponderosa
su máquina juzgara, que la empresa
de investigar a la naturaleza?   780

Otras —más esforzado—,
demasiada acusaba cobardía
el lauro antes ceder, que en la lid dura
haber siquiera entrado;
y al ejemplar osado
del claro joven la atención volvía
—auriga altivo del ardiente carro—,
y el, si infeliz, bizarro
alto impulso, el espíritu encendía:
donde el ánimo halla   790
—más que el temor ejemplos de escarmiento—
abiertas sendas al atrevimiento,
que una ya vez trilladas, no hay castigo
que intento baste a remover segundo
(segunda ambición, digo).
Ni el panteón profundo
—cerúlea tumba a su infeliz ceniza—,
ni el vengativo rayo fulminante
mueve, por más que avisa,
al ánimo arrogante   800
que, el vivir despreciando, determina
su nombre eternizar en su ruina.
Tipo es, antes, modelo:
ejemplar pernicioso
que alas engendra a repetido vuelo,
del ánimo ambicioso
que —del mismo terror haciendo halago
que al valor lisonjea—
las glorias deletrea

---

781   Otras veces, el entendimiento...
786   Faetón.
794   *Var.*: eds. antiguas, *«renovar»*, en vez de *remover*.

entre los caracteres del estrago.   810
O el castigo jamás se publicara,
porque nunca el delito se intentara:
político silencio antes rompiera
los autos del proceso
—circunspecto estadista—;
o en fingida ignorancia simulara
o con secreta pena castigara
el insolente exceso,
sin que a popular vista
el ejemplar nocivo propusiera: 820
que del mayor delito la malicia
peligra en la noticia,
contagio dilatado trascendiendo;
porque singular culpa sólo siendo,
dejara más remota a lo ignorado
su ejecución, que no a lo escarmentado.

   Mas mientras entre escollos zozobraba
confusa la elección, sirtes tocando
de imposibles, en cuantos intentaba
rumbos seguir —no hallando   830
materia en que cebarse
el calor ya, pues su templada llama
(llama al fin, aunque más templada sea,
que si su activa emplea
operación, consume, si no inflama)
sin poder excusarse
había lentamente
el manjar trasformado,
propia substancia de la ajena haciendo:
y el que hervor resultaba bullicioso   840
de la unión entre el húmedo y ardiente,
en el maravilloso
natural vaso, había ya cesado

---

811   Mejor sería que el castigo...
828   La elección de mi entendimiento. *Sirtes:* arrecifes.
843   El estómago. Su papel fundamental en la vida biológica ya fue

(faltando el medio), y consiguientemente
los que de él ascendiendo
soporíferos, húmedos vapores
el trono racional embarazaban
(desde donde a los miembros derramaban
dulce entorpecimiento),
a los suaves ardores   850
del calor consumidos,
las cadenas del sueño desataban:
y la falta sintiendo de alimento
los miembros extenuados,
del descanso cansados,
ni del todo despiertos ni dormidos,
muestras de apetecer el movimiento
con tardos esperezos
ya daban, extendiendo
los nervios, poco a poco, entumecidos,   860
y los cansados huesos
(aun sin entero arbitrio de su dueño)
volviendo al otro lado—,
a cobrar empezaron los sentidos,
dulcemente impedidos
del natural beleño,
su operación, los ojos entreabiertos;
y del cerebro, ya desocupado,
las fantasmas huyeron,
y —como de vapor leve formadas—   870
en fácil humo, en viento convertidas,
su forma resolvieron.
Así linterna mágica, pintadas
representa fingidas
en la blanca pared varias figuras,
de la sombra no menos ayudadas

---

tratado en los vv. 234-251. Los mismos conceptos se repiten aquí en los
vv. 830-852.

866 *beleño:* planta con propiedades narcóticas. «Del sopor natural».

873 *linterna mágica:* se atribuye su invención al jesuita Atanasius Kircher
(1601-1680), autor muy leído por SJ.

que de la luz: que en trémulos reflejos
los competentes lejos
guardando de la docta perspectiva,
en sus ciertas mensuras   880
de varias experiencias aprobadas,
la sombra fugitiva,
que en el mismo esplendor se desvanece,
cuerpo finge formado,
de todas dimensiones adornado,
cuando aun ser superficie no merece.

III

En tanto, el padre de la luz ardiente,
de acercarse al oriente
ya el término prefijo conocía,
y al antípoda opuesto despedía   890
con transmontantes rayos:
que —de su luz en trémulos desmayos—
en el punto hace mismo su occidente,
que nuestro oriente ilustra luminoso.
Pero de Venus, antes, el hermoso
apacible lucero
rompió el albor primero,
y del viejo Tithón la bella esposa
—amazona de luces mil vestida,
contra la noche armada,   900
hermosa si atrevida,
valiente aunque llorosa—,
su frente mostró hermosa
de matutinas luces coronada,
aunque tierno preludio, ya animoso
del planeta fogoso,
que venía las tropas reclutando
de bisoñas vislumbres

---

898 La aurora.
902 Llorosa a causa del rocío.

—las más robustas, veteranas lumbres
para la retaguardia reservando—,   910
contra la que, tirana usurpadora
del imperio del día,
negro laurel de sombras mil ceñía
y con nocturno cetro pavoroso
las sombras gobernaba,
de quien aun ella misma se espantaba.
Pero apenas la bella precursora
signífera del sol, el luminoso
en el oriente tremoló estandarte,
tocando al arma todos los suaves   920
si bélicos clarines de las aves
(diestros, aunque sin arte,
trompetas sonorosos),
cuando —como tirana al fin, cobarde,
de recelos medrosos
embarazada, bien que hacer alarde
intentó de sus fuerzas, oponiendo
de su funesta capa los reparos,
breves en ella de los tajos claros
heridas recibiendo   930
(bien que mal satisfecho su denuedo,
pretexto mal formado fue del miedo,
su débil resistencia conociendo)—,
a la fuga ya casi cometiendo
más que a la fuerza, el medio de salvarse,
ronca tocó bocina
a recoger los negros escuadrones
para poder en orden retirarse,
cuando de más vecina
plenitud de reflejos fue asaltada,   940
que la punta rayó más encumbrada
de los del mundo erguidos torreones.
    Llegó, en efecto, el sol cerrando el giro
que esculpió de oro sobre azul zafiro:

---

942   Las montañas.

de mil multiplicados
mil veces puntos, flujos mil dorados
—líneas, digo, de luz clara— salían
de su circunferencia luminosa,
pautando al cielo la cerúlea plana;
y a la que antes funesta fue tirana   950
de su imperio, atropadas embestían:
que sin concierto huyendo presurosa
—en sus mismos horrores tropezando—
su sombra iba pisando,
y llegar al ocaso pretendía
con el (sin orden ya) desbaratado
ejército de sombras, acosado
de la luz que el alcance le seguía.
Consiguió, al fin, la vista del ocaso
el fugitivo paso,   960
y —en su mismo despeño recobrada
esforzando el aliento en la ruina—
en la mitad del globo que ha dejado
el sol desamparada,
segunda vez rebelde determina
mirarse coronada,
mientras nuestro hemisferio la dorada
ilustraba del sol madeja hermosa,
que con luz judiciosa
de orden distributivo, repartiendo   970
a las cosas visibles sus colores
iba, y restituyendo
entera a los sentidos exteriores
su operación, quedando a luz más cierta
el mundo iluminado, y yo despierta.

---

949 *Pautar:* hacer renglones en un papel. Por extensión, los rayos del sol
pautaban la hoja del cielo.

Despedida

[81]

Romance

En reconocimiento a las inimitables plumas de la Europa, que hicie-
ron mayores sus obras con sus elogios (que no se halló acabado).

    ¿Cuándo, númenes divinos,
dulcísimos cisnes, cuándo
merecieron mis descuidos
ocupar vuestros cuidados?
    ¿De dónde a mí tanto elogio?   5
¿De dónde a mí encomio tanto?
¿Tanto pudo la distancia
añadir a mi retrato?
    ¿De qué estatura me hacéis?
¿Qué coloso habéis labrado   10
que desconoce la altura
del original lo bajo?
    No soy yo la que pensáis,
sino es que allá me habéis dado
otro ser en vuestras plumas   15
y otro aliento en vuestros labios,
    y diversa de mí misma
entre vuestras plumas ando,
no como soy, sino como
quisisteis imaginarlo.   20

---

[81]   (III, 1700, 157; MP, I, 158.)

A regiros por informes,
no me hiciera asombro tanto,
que ya sé cuánto el afecto
sabe agrandar los tamaños.

Pero si de mis borrones   25
visteis los humildes rasgos,
que del tiempo más perdido
fueron ocios descuidados,

    ¿qué os pudo mover a aquellos
mal merecidos aplausos?   30
¿Así puede a la verdad
arrastrar lo cortesano?

    ¿A una ignorante mujer,
cuyo estudio no ha pasado
de ratos, a la precisa   35
ocupación mal hurtados;

    a un casi rústico aborto
de unos estériles campos,
que el nacer en ellos yo,
los hace más agostados;   40

    a una educación inculta,
en cuya infancia ocuparon
las mismas cogitaciones
el oficio de los ayos,

    se dirigen los elogios   45
de los ingenios más claros
que en púlpitos y en escuelas
el mundo venera sabios?

    ¿Cuál fue la ascendente estrella
que, dominando los astros,   50
a mí os ha inclinado, haciendo
lo violento voluntario?

    ¿Qué mágicas infusiones
de los indios herbolarios
de mi patria, entre mis letras   55
el hechizo derramaron?

43-44   Que sólo tuvo por maestros sus propias cavilaciones.

¿Qué proporción de distancia,
el sonido modulando
de mis hechos, hacer hizo
cónsono lo destemplado?   60
    ¿Qué siniestras perspectivas
dieron aparente ornato
al cuerpo compuesto sólo
de unos mal distintos trazos?
    ¡Oh cuántas veces, oh cuántas,   65
entre las ondas de tantos
no merecidos loores,
elogios mal empleados;
    oh cuántas, encandilada
en tanto golfo de rayos,   70
o hubiera muerto Faetonte
o Narciso peligrado,
    a no tener en mí misma
remedio tan a la mano,
como conocerme, siendo   75
lo que los pies para el pavo!
    Vergüenza me ocasionáis
con haberme celebrado,
porque sacan vuestras luces
mis faltas más a lo claro.   80
    Cuando penetrar el sol
intenta cuerpos opacos,
el que piensa beneficio
suele resultar agravio:
    porque densos y groseros,   85
resistiendo en lo apretado
de sus tortuosos poros
la intermisión de los rayos,
    y admitiendo solamente

---

60   *cónsono:* «término de música, que se aplica al instrumento que está
acorde con otro» *(Dic. Aut.),* armonioso.
61   *siniestras perspectivas:* engañosas apariencias.
71-72   La soberbia o la vanidad.
76   Alusión a la fábula de Fedro.

el superficial contacto,   90
sólo de ocasionar sombras
les sirve lo iluminado.

    Bien así, a la luz de vuestros
panegíricos gallardos,
de mis obscuros borrones   95
quedan los disformes rasgos.

    Honoríficos sepulcros
de cadáveres helados,
a mis conceptos sin alma
son vuestros encomios altos: 100

    elegantes panteones,
en quienes el jaspe y mármol
regia superflua custodia
son de polvo inanimado.

    Todo lo que se recibe   105
no se mensura al tamaño
que en sí tiene, sino al modo
que es del recipiente vaso.

    Vosotros me concebisteis
a vuestro modo, y no extraño   110
lo grande: que esos conceptos
por fuerza han de ser milagros.

    La imagen de vuestra idea
es la que habéis alabado;
y siendo vuestra, es bien digna   115
de vuestros mismos aplausos.

    Celebrad ese, de vuestra
propia aprehensión, simulacro,
para que en vosotros mismos
se vuelva a quedar el lauro.   120

    Si no es que el sexo ha podido
o ha querido hacer, por raro,
que el lugar de lo perfecto
obtenga lo extraordinario;

    mas a esto solo, por premio   125
era bastante el agrado,
sin desperdiciar conmigo
elogios tan empeñados.

Quien en mi alabanza viere
ocupar juicios tan altos,   130
¿qué dirá, sino que el gusto
tiene en el ingenio mando?...

Índice de primeros versos

Índice

Colección Letras Hispánicas

ÚLTIMOS TÍTULOS PUBLICADOS